# LA REVOLUCIÓN CUBANA

# LA REVOLUCIÓN CUBANA

Gustavo Guevara
*Universidad de Buenos Aires (Argentina)*

CRÓNICA DEL SIGLO XX

**Dirección editorial**
Rebeca Gómez

**Director de colección**
Jorge Saborido

**Editor**
José María Fernández

**Diseño**
Luis Jover

**Producción**
José María Fernández


Parque Empresarial Európolis
c/ M, n.º 9 28232 Las Rozas
Madrid - España
www.dastin.es
info@dastin.es

ISBN 978-84-96410-43-5
Depósito Legal: M-22.413-2006



IMPRESO EN ESPAÑA - PRINTED IN SPAIN

# ÍNDICE

# INTRODUCCIÓN

Jorge Luis Borges afirma que existen pocas disciplinas de mayor interés que aquella que se ocupa de interrogarse acerca de las transformaciones semánticas de las palabra a lo largo del tiempo. Es que tales transformaciones pueden lindar con lo paradójico, ya que un mismo término puede haber sido empleado para decir algo, o exactamente todo lo contrario, según el contexto histórico en que se plantee. En nuestro caso específico, indagar acerca de la propia historia del término *Revolución*, puede presentarse como un punto de partida válido para desterrar ciertas extrapolaciones anacrónicas a lo que nos invita el sentido común y comenzar así a desbrozar el terreno sobre el cual reconstruir una visión rigurosa del pasado.

Si apelamos en primer término a la edición original del *Diccionario de la Real Academia Española*, que data de 1726, nos vamos a encontrar con que el vocablo *revolución* se utiliza para designar *«inquietud, alboroto, sedición, alteración grave en un estado o país»*, lo que en latín se expresa con la forma *turbatio, tumultus*. La noción de revolución que remite a la idea de *«conmoción y alteración de los humores entre sí»* es algo posterior y convive con la que populariza la acepción que proviene del campo de la Astronomía a partir de la obra de Nicolás Copérnico: *De revolutionibus orbium coelestium (1543)*. Revolución indica el giro completo de un cuerpo celeste alrededor de un centro. Por la órbita que describe, revolución es volver siempre al punto de partida. En esta tradición, el término pasa de la ciencia del movimiento de los astros a la teoría del movimiento de las sociedades para indicar, no un cambio radical e irreversible, no un nuevo origen, sino el retorno al punto de partida. En Inglaterra, en el siglo XVIII, se llama *revolución* a la restauración de la monarquía tras la llegada de Carlos II al trono y toca al filósofo Tomas Hobbes describir la terminación de la gran revolución inglesa de 1640-1660 en términos de: *«I have seen in this revolution a circular notion»*. No puede haber dudas de que en este contexto la revolución equivalía a la restauración de los Estuardos.

Es en las dos grandes revoluciones que se produjeron a finales del siglo XVIII, en especial la de Francia de 1789, cuando se acuña el concepto moderno de *revolución*, trascendiendo el sentido de alboroto, alteración o repetición al introducir la idea de que es posible que el curso de la historia comience súbitamente otra vez. La revolución supone el comienzo de una era completamente nueva, de ahí la obsesión en algunos casos por establecer un calendario renovado. Esta ampliación del significado de revolución ya se encuentra plenamente establecida un siglo más tarde. En la edición del *Diccionario Enciclopédico Hispano-Americano de Literatura, Ciencias y Artes, Etc.* se recogen las acepciones que figuraban originalmente en el *Diccionario de la Real Academia*, pero con un extenso añadido en el que el término adquiere un significado abarcador: *«la palabra revolución se refiere al cambio que de una manera profunda afecta y se verifica en las costumbres, en las ciencias, en las artes, en las leyes y en el gobierno de las naciones»*. Como señala el más destacado teórico de la «historia conceptual», Reinhart Koselleck, *revolución* indica *«tanto un cambio de régimen o una guerra civil como también transformaciones a largo plazo, es decir, sucesos y estructuras que se introducen profundamente en nuestra vida cotidiana»*.

Esta polisemia de la que se carga el término «revolución», no sólo nos permite advertir que la modernidad ha desplazado aquella noción de tiempo cíclico que daba fundamento a la sucesión repetitiva de constituciones, según la describían y teorizaban filósofos como Platón y Aristóteles, sino que además nos advierte sobre los múltiples sentidos que las palabras asumen, denotan, indican, evocan, etcétera. La palabra *revolución* en este caso puede ser utilizada como sinónimo de desorden y alteración, pero también adquiere un significado que no es idéntico a su homóloga voz latina, en la que los cambios implicaban una regularidad y una predeterminación anterior. Como producto lingüístico de la modernidad, la *revolución* liga —por definición— los hechos entre sí y forma un conjunto, compone una secuencia histórica, arma una estructura, constituye una identidad totalizante, genera efectos de sentido, que se sostienen de acuerdo con su arquitectura conceptual. Esta herencia es la que debe ponerse en cuestión. Para avanzar en este planteamiento de deconstrucción es necesario volver a interrogarse acerca de cómo los sujetos, testigos y protagonistas de cada proceso revolucionario han pensado y definido su contemporaneidad, su génesis y su devenir.

Para avanzar en la respuesta no es suficiente con revisar el uso y contenido del término y el concepto «revolución», es necesario evaluar las percepciones y los diversos puntos de vista sobre las causas, motivaciones, justificación y resultados que elaboraron los actores internos y externos de la misma. Analizar estas representaciones en conexión con la reflexión política e historiográfica, considerando los argumentos sobre el grado de pervivencia de lo antiguo y los alcances de lo nuevo. Por ello, nuestro interés de abordar la Revolución Cubana como un proceso complejo y contradictorio, bastante alejado de las imágenes que pueden emerger de la simple colección de acontecimientos que se suceden entre 1953 y el presente. La Revolución Cubana se presenta entonces como un «objeto de análisis» irreductible, de carácter elusivo, que termina por rebasar todos los esquemas en que se la ha intentado encuadrar para su clasificación.

Con repasar alguno de los testimonios sobre la década de los 50 en Cuba se hace evidente este proteico magma de sentidos. Mario Amadeo, que fue uno de los dirigentes del Movimiento 26 de Julio y renunció al mismo en agosto de 1958 en su obra *La revolución insospechada,* afirma que para la mayoría de los cubanos *revolución* significaba simplemente librarse de Batista, mientras que para una minoría conllevaría un programa de reformas en los diversos planos: económico, social, político y cultural. Esta idea gana espacio ante la opinión pública a medida que se acerca el fin del régimen. Con la Revolución ya en el poder, se adopta la definición como marxista-leninista y se proclama el carácter socialista de la misma. Para Amadeo —al igual que para otros— esta toma de posición es la confirmación de que la Revolución ha sido «traicionada».

En torno de la Revolución, lejos de existir un consenso unánime, se forjaron imágenes contrapuestas y necesariamente en disputa, en la medida que cada una de ellas encarna la lucha para imponer el sentido que considera verdadera. El contenido concreto con que se dotó a cada una de esas imágenes y las razones que llevaron a éstas a adquirir una centralidad que no puede ser soslayada, será materia de atención. Previo a ello queremos hacer explícita nuestra recusación a la ilusión positivista que ve a la Revolución Cubana, al igual que todo acontecimiento histórico, como un producto del orden de «lo evidente», dotado de la «transparencia» que impone lo dado al sentido común. Si asumimos entonces como fundamento epistemológico la fórmula nietzschiana de que *«no hay hechos, sólo interpretaciones»*, para acceder a la verdad del pasado no es suficiente con ir a visitar los archivos y entrar en contacto con las fuentes primarias; se requiere también un trabajo de reflexión acerca del método o forma de interrogar a los documentos y testimonios que nos suministran los indicios a partir de los cuales podemos desvelar el sentido del pasado.

El positivismo ha descalificado como especulaciones a los conocimientos teóricos previos y considera que es posible acceder a una lectura «desprejuiciada» de las fuentes. El historiador se concibe como un técnico que instrumenta un conjunto de procedimientos relativamente simples y valorativamente neutros, lo que garantiza acceder a la reconstrucción «objetiva» del pasado. Pero negar el lugar que ocupa la teoría en la investigación histórica no hace desaparecer *per se* la existencia de ésta; porque es justamente a través de la necesaria reconstrucción interpretativa lo que torna inteligibles a los hechos. Por ello el positivismo, al comprender «los hechos» como una realidad evidente en sí misma y no como escenario privilegiado de la lucha ideológica por la construcción del sentido, torna elusiva la elección metodológica que asume, y sólo le resta como argumento en defensa de su forma de concebir la objetividad: la ingenuidad.

No queremos decir con esto que la noción de «lo real» o «lo empírico» no existe, sino advertir que toda «observación» se hace desde una posición determinada, lo que introduce claramente una distinción/distancia entre fragmentos de la realidad y los enunciados observacionales referidos a ella. Accedemos al conocimiento del pasado, a través de las interpretaciones de «las fuentes», y esas interpretaciones siempre se realizan desde un presente. Por tanto, el historiador no es un ente existente en sí y por sí mismo, sino un sujeto mediado por múltiples influencias, desgarrado, fragmentado por una realidad compleja y contradictoria que interpreta, es decir que trata de explicar el significado de su objeto, yendo más allá de lo que las fuentes explícitamente manifiestan a partir de tomar en cuenta el contexto del que los autores de las mismas no fueron conscientes. Siguiendo a Habermas, podemos decir que: *«interpretar significa ante todo "entender a partir del contexto"»*. Esta concepción implica pensar a la subjetividad mediada básicamente por el lenguaje. Y al lenguaje y la comunicación como único medio de acceso, a lo que llamamos «mundo» o «realidad». No existe por tanto ciencia sin sujeto, lo que implica disolver la figura binaria que opone el sujeto al objeto.

Pero queremos tomar distancia no sólo del positivismo sino también del posmodernismo, que asume correctamente que cada reconstrucción histórica implica una elección, pero que multiplica *ad infinitum* las interpretaciones posibles, disolviendo la realidad en una multitud de versiones inconexas, todas ellas igualmente válidas y legítimas. La historia se transforma entonces en un género literario o, más aún, en pura ficción. De nuestra parte consideramos que no todas las interpretaciones son igualmente válidas y legítimas, pero sólo es posible salir del terreno del relativismo si apelamos a una razón crítica, a una razón que «ponga en crisis» a aquellas interpretaciones que pretenden igualar todos los discursos en la medida que todos son «interesados».

El pensamiento posmoderno busca constituir un universo homogéneo en el que todo está nivelado según una cuestión de intereses. El efecto de esto es que pasa a tener la misma entidad *«la lucha de clases que la lucha entre astigmáticos y miopes»*. No proclamamos que los discursos se puedan sustraer a las condiciones históricas e ideológicas, pero los intereses y poderes que influyen sobre ellas poseen una especificidad que introduce la distinción entre aquellos conflictos que son centrales al mantenimiento de un orden social, de aquellos que no lo son; así, aunque atarse los zapatos y derribar una dictadura son conductas que persiguen indisimulados «intereses», aceptar su isonomía es ocultar las asimetrías de poder y banalizar las razones del cambio histórico.

¿Qué debemos entender por «Revolución Cubana»? No existe una respuesta unívoca. ¿Debemos preferir la percepción histórica que nos brindan quienes han sido testigos y protagonistas de ese género de episodios o alguna de las evaluaciones que han realizado los historiadores enrolados en una u otra corrientes historiográficas? ¿Se trata de dos criterios excluyentes o complementarios?

Si las «interpretaciones y construcciones» de los «hechos» que brindan los testimonios contemporáneos constituyen la materia prima a partir de la cual se realiza desde «otro» presente la «reconstrucción» historiográfica del pasado, la cientificidad consiste, pues, en desnudar la complejidad y mediaciones que toda reconstrucción de los hechos presentes o pasados implica. Retomando un viejo planteamiento metodológico, el punto de partida no son los hechos en sí mismos como postula el positivismo, sino la crítica a las interpretaciones de esos hechos, que el posmodernismo y el posestructuralismo pretenden elevar a la condición irreductible de pura ficción.

Por ello partimos del interrogante planteado por Ernesto Che Guevara en un conocido artículo de 1961 acerca de si la Revolución Cubana fue un fenómeno excepcional en el esquema de la historia universal o la vanguardia de un movimiento anticolonial que se anuncia de una magnitud incontenible. Sobre este interrogante existen respuestas divergentes, pero las mismas sólo pueden ser valoradas si reconstruimos previamente las tendencias principales del proceso que condujo a que Cuba sea la última colonia española en emanciparse en el siglo XIX y el primer país de América Latina en generar las condiciones a partir del triunfo revolucionario, el 1 de enero de 1959, para la instauración del socialismo. Es nuestro objetivo poder presentar el boom azucarero que se estructura en el siglo XIX, las guerras de independencia, la república plantista, revolución de 1933, la Constitución de 1940 y los gobiernos auténticos, como momentos significativos y relevantes para la comprensión del triunfo rebelde, tanto como la específica coyuntura instaurada el 10 de marzo de 1952 puntuada por el ataque al Moncada y al palacio presidencial, el desembarco del *Granma* o la frustrada huelga general revolucionaria de abril de 1958. A pesar del carácter forzosamente sintético y general del que debemos revestir a tales descripciones, es nuestra intención que las mismas operen como una presentación de los escenarios, protagonistas y acciones del proceso revolucionario, de modo de brindar las coordenadas históricas e historiográficas que serán retomadas, revisadas y profundizadas cuando el tratamiento de la problemática así lo requiera.

A partir de la ruptura que puede simbolizarse en el 1 de enero de 1959 hemos querido retomar el citado texto de Guevara, para explorar las proyecciones que la Revolución adquirió hacia distintos puntos del continente americano a partir del derrocamiento de Batista. Lejos de concebir a la Revolución Cubana como un modelo autopoiético, nos proponemos mostrar la diversidad y riqueza de los debates y alternativas que se fueron formulando sobre el curso que la misma debía adoptar. Aspiramos a presentar un cuadro dinámico que permita percibir el balance de fuerzas cambiantes y la experiencia que se iba procesando como un dato central del fenómeno. Sin duda la coyuntura que se extiende en la primera década de revolución está jalonada por una riqueza de acontecimientos que van desde transformaciones socioeconómicas (las sucesivas leyes de reforma agraria, la expropiación de las compañías extranjeras y de la gran burguesía local, reorientación del comercio exterior hacia el bloque socialista o el gran debate de 1965) hasta ampliaciones radicales de la ciudadanía social, como la que conlleva los planes de alfabetización y de salud, sin soslayar las tensiones internacionales, como la provocada por la invasión de bahía de Cochinos o la crisis de los misiles en 1962. Es necesario, pues, brindar un análisis de un proceso multiforme que no puede reducir las políticas interpretativas a un subproducto tardío de la «guerra fría».

Finalmente, en la última sección queremos colocar el acento en los problemas y desafíos que se presentan a esta singular experiencia a partir de los importantísimos cambios en la escena internacional, que han ido creando una atmósfera cada vez más difícil para la conservación y proyección de los logros de la Revolución. La perestroika primero, la caída del muro de Berlín en 1989 y la disolución de la URSS en 1991 enmarcan la desaparición del llamado campo socialista y anuncian el fin de la «guerra fría», teniendo como claro vencedor a las grandes potencias capitalistas, en particular los Estados Unidos. En el intento de construcción de una nueva hegemonía unipolar, la caída de las Torres Gemelas en Nueva York el 11 de septiembre de 2001, resulta funcional al diseño de una nueva doctrina: la guerra preventiva. Frente a la lógica belicista del imperialismo, la pequeña isla del Caribe intenta una nueva respuesta de lucha contra el terrorismo y de reafirmación de valores humanistas.

Queda claro, entonces, que no se trata tan sólo de inventariar hechos que se suceden en el suelo cubano, como si se tratara de reflejar una simple imagen en un diáfano espejo. Lo que se pone en juego es el esfuerzo que los distintos actores realizaron para comprender e intervenir en el curso de los hechos. Para reforzar esa dimensión irreductible hemos decidido insertar al final de cada capítulo una fuente que nos permita reeditar la paleta de tonalidades con que se expresaban algunos de los protagonistas individuales o colectivos de la coyuntura. Por último, quizá no resulte ocioso insistir en que esta disputa por imprimir un curso a los hechos y el sentido de los mismos (ambas cuestiones resultan inescindibles) remiten a un pasado que se proyecta en el presente, presente cuyas alternativas abiertas derogan el carácter unilineal, progresista y determinista con que se intentó legislar la Historia.

# Capítulo 1

## CUBA: EXCEPCIÓN O VANGUARDIA

El 16 de abril de 1961, con motivo de producirse el entierro de las víctimas ocasionadas por los bombardeos de los aviones contrarrevolucionarios que despegaban de Guatemala, Fidel Castro afirmó por primera vez el carácter socialista de la Revolución Cubana. Es en ese mismo momento cuando Ernesto Guevara publica un importante artículo en el que se interroga acerca del triunfo que se ha producido por parte de las fuerzas rebeldes en Cuba: si el mismo debe ser conceptuado como un fenómeno único e irrepetible o, por el contrario, anuncia e indica el camino por el que habrán de transitar otros pueblos de América Latina y el tercer mundo.

Cuando Paul Baran, destacado intelectual marxista residente en los Estados Unidos, visitó durante tres semanas la isla en el año anterior anotó en sus *Reflexiones sobre la Revolución Cubana* que la mayoría con quienes se había entrevistado señalaban que los métodos y la orientación que permitieron el triunfo de la insurrección se debían tanto a la espontaneidad, a las condiciones específicas de Cuba, como al genio de Fidel Castro. Es contra esta visión contra la que, sin dejar de reconocer que se puede fundar en buenas intenciones, el Che se plantea reflexionar en términos dilemáticos: excepción o vanguardia.

*Fidel Castro.*

En el artículo citado comienza por señalar que algunos han situado a la Revolución Cubana como el acontecimiento cardinal de América, y que se proyecta en el siglo XX como un fenómeno que apenas sigue en importancia a la magna trilogía que configuran el mundo contemporáneo: la Revolución Rusa, la derrota en el terreno militar de Hitler, con las transformaciones sociales que siguieron a la inmediata posguerra y la victoria de la Revolución China. El Che cree ver en estos acontecimientos el signo inequívoco del siglo, las luchas anticoloniales y el tránsito al socialismo.

Es importante, para un lector situado en el siglo XXI, no perder de vista que la fortaleza atribuida al campo del denominado socialismo real frente al capitalismo en los 50 y 60 era un dato indiscutido. Así, en las Conferencias de los Partidos Comunistas celebradas en 1957 y 1960 en Moscú, se plasman en los documentos afirmaciones de que, producto de un profundo análisis dialéctico de la época moderna, resultaba inevitable el triunfo de la revolución socialista en aquellos países en que aún sobrevivía el capitalismo, siendo cada vez más próximo el día en que la edificación del comunismo en escala global sea una realidad definitiva. Después de reconocer que el antagonismo histórico de los dos sistemas sociales opuestos ha de deci-

*Ernesto «Che» Guevara.*

dirse en la práctica de la vida actual, la confianza que traza el triunfo sobre los nazis y la delantera en la conquista del espacio con el lanzamiento del Sputnik parece anunciar de manera inequívoca la respuesta. Hasta el propio núcleo de los neoliberales, por aquel entonces una pequeña minoría intelectual y política admite el carácter irreversible del «totalitarismo comunista» y propone en todo caso la solución militar para defender al «mundo libre».

Guevara está en términos teóricos muy lejos del estalinismo y del fatalismo al que esta doctrina conlleva; sin embargo, la expansión del socialismo y el debilitamiento del capitalismo es un diagnóstico extendido. Figuras como Paul Samuelson, quien por aquellos tiempos escribía y reeditaba numerosas veces su manual sobre economía política, en un capítulo dedicado a predecir el comportamiento de la economía norteamericana y de la Unión Soviética, en sus proyecciones no duda en ir más allá de los 90 para internarse en el siglo XXI, y no descarta, entre los escenarios posibles a largo plazo, el fortalecimiento continuo de las economías planificadas centralmente. Este economista norteamericano de orientación keynesiana obtuvo el Premio Nobel de Economía en 1970. Es bueno retener entonces que, en términos del debate ideológico, quienes preferían la economía de mercado lo hacían en la segunda posguerra sobre la base de apelar a lo que denominaban el respeto a la libertad de elegir de los individuos frente a la opresión estatal impuesta por el partido único tras la cortina de hierro. El acento se colocaba en el tema de la libertad, no en la mayor eficiencia económica, pues las tasas de crecimiento de unos y otros países descartaban la pertenencia de este argumento.

Esta disgresión nos parece importante para ubicar la polémica en el contexto histórico en el que se desenvuelve. Para el Che, el análisis de cualquier fenómeno histórico o contemporáneo no puede ser aislado del mundo, y si bien es posible reconocer especificidades en cada realidad particular no pueden perderse de vista las tendencias más generales que influyen y determinan a éstas, en tanto partes de un todo. Para el caso de la Revolución Cubana, si bien acepta que hubo excepciones que delinean rasgos particulares, que el proceso se ha visto influido por factores específicos en el curso de su desarrollo, todos sus componentes se rigen por una legalidad de la cual le es imposible sustraerse y que supera al marco nacional. En términos del propio Che, «es un hecho claramente establecido que cada revolución cuenta con ese tipo de factores específicos, pero no está menos establecido que todas ellas seguirán leyes cuya violación no está al alcance de las posibilidades de la sociedad».

Se pasa entonces revista a los factores a los que alude el pretendido excepcionalismo. En primer lugar aparece esa «fuerza telúrica» llamada Fidel Castro: se trata de una figura que es prematuro juzgar pero que sin duda ya se presenta como un político distinto al resto de los politiqueros de América Latina. Es un gran conductor, un líder nato que busca combinar su audacia, fuerza y valor con la voluntad del pueblo. Su fe en el futuro y su enorme capacidad para preverlo le colocan como el principal dirigente de una revolución que tiene por base, siempre según el Che, condiciones político-sociales no muy diferentes a las de los otros países de América.

En segundo lugar destaca la desorientación del imperialismo norteamericano que se manifestó en el curso de la lucha antibatistiana, que difícilmente se pueda repetir. La prensa, los monopolios y el Departamento de Estado apostaron por un cambio, abandonaron al dictador y confiaron en poder influir sobre los nuevos «muchachos» que venían al reemplazo. En tal sentido la táctica más inteligente parecía ser enviar emisarios del Departamento de Estado disfrazados de periodistas. El error de cálculo del imperio terminó por no poder evitar la revolución social en el corazón del Caribe y la más radical de las revoluciones americanas.

En tercer término, afirma que una parte importante de la burguesía se mostró favorable a los rebeldes en la guerra contra la tiranía y algunos elementos latifundistas se mantuvieron neutrales. La burguesía nacional tomó distancia respecto de Batista e intentó generar un nuevo equilibrio de fuerzas, a partir del cual esperaban retener una importante cuota de poder.

El cuarto factor se relaciona con el hecho de que el campesinado se había proletarizado en gran parte de la geografía cubana, como producto de las exigencias de la mecanización del azúcar. Pero el campesinado de la Sierra Maestra, principal base de apoyo para la instalación, supervivencia y desarrollo del foco guerrillero, es una excepción a la excepción, pues allí se instala un pequeño productor que lucha contra el Estado y los latifundistas, para acceder y conservar una pequeña parcela de tierra. Se trata de un campesinado que Guevara cataloga como dominado por el más perfecto «espíritu pequeñoburgués»: lucha porque quiere tierras para enriquecerse, pero sabe que debe romper con el sistema que impone la gran propiedad. La Reforma Agraria se transforma en su bandera y no temen chocar con los intereses directos de los magnates azucareros y ganaderos; esto los lleva a convertirse, junto con los obreros, en el principal sostén de la revolución ininterrumpida.

Para el Che, cada una de estas excepciones se ajusta a la lógica universal. El conductor conduce, el imperialismo apuesta más de una baraja para ganar el juego —que en tanto juego se puede perder—, la burguesía apoya la guerrilla para buscar soluciones negociadas y el campesino pequeñoburgués reclama la liquidación de los latifundios en pos del enriquecimiento. De este conjunto de factores emerge un cuadro que se presenta sin duda como sumamente paradójico: en las palabras del propio Che, las «fuerzas no revolucionarias ayudan de hecho a facilitar el camino del advenimiento del poder revolucionario». Si a esto se suma el epígrafe de Fidel Castro en el que se subraya el papel central de la clase obrera, la inquietud se ensancha.

Está claro que Guevara no se propone hacer un aporte a la sociología académica, ni brindar una lección de historia, sino sistematizar las conclusiones teóricas elaboradas a partir de la práctica concreta, que tenía en la lucha desplegada en Cuba de 1956 a 1959 su epicentro, pero con la intencionalidad de dar una proyección continental. Para él, había que destacar los factores comunes que configuraban la realidad social de América, cuyas contradicciones habían madurado. Estaban presentes las condiciones para que en cualquier punto del subcontinente irrumpiera una revolución de la magnitud de la cubana. La excepcionalidad cubana queda refutada, según Guevara, por la existencia de las condiciones objetivas que imponen el latifundio, los monopolios y el subdesarrollo.

El hambre del pueblo y la reacción frente a él se convierten en categorías centrales para explicar en el contexto descrito la apuesta por la lucha armada y el campo como escenario privilegiado. Mientras se exalta el foco guerrillero, la ciudad queda relegada y los obreros apenas si son mencionados en el pasaje: «la lucha guerrillera, basada en el ejército campesino, en la alianza de los obreros con los campesinos, en la derrota del ejército en la lucha frontal, en la toma de la ciudad desde el campo, en la disolución del ejército como primera etapa de la ruptura total de la superestructura del mundo colonialista anterior». Ya hemos indicado que el texto de Guevara se proponía como una intervención polémica respecto del devenir de la revolución en el continente; pero si lo que nos proponemos es restituir la complejidad en la que se gesta y desenvuelve la Revolución Cubana, debemos avanzar en la comprensión histórica de cómo el latifundismo, el imperialismo y el subdesarrollo modelaron la sociedad cubana y a las fuerzas sociopolíticas que actuaron, si no de una manera excepcional, al menos con indisimulables rasgos singulares.

Tras la caída de Batista, el principal teórico comunista, Anibal Escalante, fue el primero en sugerir en 1959 que Cuba repetía la «vía china».

«La Revolución Cubana, más que seguir el camino revolucionario clásico, ha seguido el "camino" aquel en que el movimiento se inicia y desarrolla en el campo lejano y finalmente envuelve a las ciudades y singularmente a la capital. Y en esta experiencia, que rompe dogmas y criterios preestablecidos, se eleva a gran altura la visión de Fidel Castro y su estado mayor; como hay que reconocer, así mismo, el papel que en definitiva jugó el Partido Socialista Popular para abrir paso al "camino chino".»

# Capítulo 2

## AZÚCAR, ESCLAVISMO Y LAZO COLONIAL

Para comprender el carácter latifundista que adopta la apropiación de la tierra en Cuba debemos remontarnos hasta la colonización española. De acuerdo con el principio impuesto por la Corona española, todas las tierras descubiertas en las Indias occidentales eran propiedad del rey; estas «tierras realengas» sólo podían ser transferidas por la autorización directa del monarca o por quien éste designase, como los primeros jefes conquistadores o los virreyes. Para el caso que nos ocupa es importante destacar que los cabildos, ya desde 1536, otorgaron mercedes y entregaron tierras. Las tierras podían entonces entregarse de acuerdo a las categorías socio-militares; así, por ejemplo, los caballeros podían recibir una extensión de 13,43 ha. Fue justamente esta dimensión la que bajo la denominación de «caballería» terminó por imponerse como unidad de medida.

En los primeros tiempos de la colonia la cría de ganado se convirtió en la principal actividad económica: los «hatos» eran grandes haciendas de forma circular y que tenían un radio de dos leguas (8.484 metros), siendo los hatos de un radio de una legua los que se dedicaban al ganado menor, principalmente cerdos. La forma circular se convirtió en una fuente permanente de litigios, ya fuera entre los dueños y sus herederos, como también con los ocupantes de los espacios «vacíos» entre varias haciendas.

Los hatos y corrales, junto con las pequeñas propiedades destinadas al cultivo de frutos menores, fueron las formas polares predominantes de la tenencia de la tierra en la época colonial. Durante el siglo XVIII la producción de tabaco pasó a ser la actividad más rentable de la economía cubana. Vegas era el nombre que se otorgaba a las parcelas destinadas al cultivo de este producto, que requería una esmerada atención para su cultivo y explotación. Por ello, estaba en manos del veguero y su familia, sin la participación del trabajo esclavo. El auge del café se registra a su vez a finales del siglo XVIII, y se vale del uso de la mano de obra esclava. También comienza a extenderse la producción cañera, desplazando en los campos tanto a la ganadería como a la agricultura de subsistencia.

Este cambio en la orientación económica de la isla, destinado a tener una influencia perdurable en el tiempo, se asocia de manera directa con los sucesos de Haití.

El 14 de julio de 1789, con la toma de la Bastilla en París, da inicio la Revolución Francesa. No va a transcurrir demasiado tiempo hasta que la agitación y la lucha por los Derechos del Hombre y del Ciudadano se expresen en el Nuevo Mundo. En agosto de 1791, en la colonia francesa de Saint Domingue, a la agitación provocada por los mulatos se suma el levantamiento general de los negros-esclavos. La denominada «Perla del Caribe» había sufrido una vertiginosa transformación en el siglo XVIII por la expansión de la demanda azucarera del mercado europeo. La plantación azucarera se convirtió en la unidad productiva dominante y el número de esclavos introducidos creció hasta constituir una población de alrededor de 500.000 almas. En 1804, tras la sucesión de guerras civiles e internacionales que tuvieron por escenario a Haití, se produce la decisiva derrota de las tropas napoleónicas al mando del general Leclerc, quedando sellada definitivamente la emancipación de los esclavos y la ruptura del vínculo colonial con Francia.

Muy próxima en términos geográficos, la isla de Cuba recibió una fuerte influencia del desarrollo y desenlace de los sucesos de Haití. Pero el signo que la revolución negra proyectó fue exactamente el contrario al ideario de Toussaint Louverture, el líder de la revolución en Haití. El temor de los plantadores a perder el lucrativo negocio les llevó a reafirmar el lazo colonial con la metrópoli y a reprimir sangrientamente cualquier atisbo que planteara la emancipación de los negros.

Desde 1750 había un centenar de pequeñas plantaciones de caña de azúcar, que tras la ocupación por los ingleses de La Habana en 1762-1763, las reformas borbónicas y la independencia de Estados Unidos se multiplicaron y modernizaron.

Este camino se profundizó de manera decisiva con la llegada de plantadores inmigrantes que huían del cataclismo social existente en Haití. Debilitada la principal potencia azucarera de América, Cuba se propone ocupar su lugar, pero la exportación de esta mercancía depende de contar con la importación de una abundante cantidad de mano de obra esclava. Para esa época la población de Cuba se compone de 130.000 blancos y mulatos, 65.000 negros libres y 200.000 esclavos.

Gran Bretaña parece poner en peligro las aspiraciones de España cuando logra imponer la prohibición de la trata a partir de 1820 por medio de un tratado en 1817 con España. Sin embargo, la llegada de esclavos a Cuba no se detiene, pues el gobierno español nada hace para cumplir con el compromiso.

Inglaterra, cada vez más interesada en la supresión de la trata, apeló a muy variados métodos para alcanzar ese objetivo, entre los cuales no descartó agitar el fantasma de una revolución negra, como se ejemplificaba en Haití. Para las autoridades coloniales ésta no constituía una amenaza imaginaria: entendían que la realidad de la isla se encontraba tensionada entre la opción de conservar los lazos con España o entregarse a la anarquía que impondrían los «africanos».

En 1843 se produce un levantamiento de esclavos duramente reprimido. En noviembre se inicia otra gran insurrección sofocada con idénticos métodos. A finales de ese mismo año, el flamante capitán general de Cuba, el general Leopoldo O'Donnell, recibe informes sobre otra probable insurrección esclava, con fines abolicionistas, para Navidad. El 23 de diciembre ordenó que en Matanzas, epicentro del supuesto levantamiento, fueran fusilados dieciseis esclavos y a más de un centenar se los azotara.

El temor generalizado de los plantadores llevó a que aplicaran los métodos más crueles para obtener información acerca de lo que se percibía como una gran conspiración en marcha. El nombre de «la escalera», dado a ese evento, está asociado al hecho de que a los esclavos que no se declaraban culpables se les ataba a una escalera de jiquí para ser torturados. Cientos de sospechosos fueron encarcelados y vejados. En Matanzas se creó el Hospital Provincial de Presos enfermos de la Conspiración de la Gente de Color, que albergó a los que no perecían en las sesiones de tortura. Sin embargo, según los registros, su suerte no resultó para nada favorable: a diario se producían dos o tres defunciones provocada por «diarrea». Se estima que la Comisión Militar Ejecutiva y Permanente en 1844 detuvo en total a más de 4.000 personas, juzgando a unas 3.000, de las cuales 78 fueron ejecutadas, entre las cuales sólo se encontraba un blanco; 435 fueron desterradas, 1.230 absueltas y el resto encarceladas.

O'Donnell aprovechó la ocasión para perseguir a los opositores blancos, aunque casi todos resultaron finalmente absueltos. No sucedió lo mismo con los hombres de

*Traficantes ingleses venden esclavos en La Habana.*

color libres. La presunción de que en la planificación de la conspiración se hallaba el ex cónsul británico David Turnbull, hizo que, incluso sin pruebas, matanceros como el violinista y director de orquesta José Miguel Román o el mulato Andrés José Dodge, que había estudiado para dentista en las universidades de París y Londres, fuesen condenados a muerte. De aquel aquelarre surgieron imputaciones delirantes, tales como las que afirmaban que el levantamiento general incluía designar al poeta Plácido como presidente de la nueva República Negra, o que las mujeres blancas se plegarían al levantamiento para eliminar a las feas y viejas.

Francis Ross Cocking, colaborador de Turnbull, en un detallado y megalómano informe que dirige al Foreign Office en 1846 sobre su actuación en la isla, caracteriza a los blancos criollos de Cuba en general, y de La Habana en particular, con las debidas excepciones, como «una raza de imbéciles, degenerada tanto de mente como de cuerpo, y corrompida por la educación». El gobierno despótico adoptado por España para la administración de la isla, y al mismo tiempo el consentimiento tácito para toda suerte de licencias, los torna «sujetos adecuados para la continuación del despotismo colonial». No sería éste el caso del pueblo de color libre, a quien atribuye conciencia de su condición degradada y presente, dispuesto a arriesgar sus vidas y bienes por la libertad de ellos y de sus hermanos aún esclavos.

Frente a la posibilidad de un levantamiento esclavo que cuente con la asistencia de los británicos, los plantadores azucareros cubanos, como Carlos Núñez del Castillo, Miguel Aldama o Cristóbal Maldán, revitalizan la idea de la anexión de Cuba a los Estados Unidos para conservar su negocio.

Cocking informaba: «que muchos de los ricos propietarios de plantaciones habían accedido a los planes de los Estados Unidos y que varios de los españoles europeos del Orden Más Alto también se habían prestado a esos planes, porque todos creían (y aún creen) que más tarde o más temprano el Gobierno británico obligará al Gobierno español a emancipar a todos los negros bozales clandestinamente importados en Cuba después del año 1820, en violación a los tratados existentes, "porque son, como el propio Lord Palmerston ha declarado, ipso facto libres"».

Por su parte, el presidente Polk presentó en 1848 una oferta formal al gobierno de España para la compra de la isla en 100 millones de dólares. La misma fue desestimada, pero no era la primera vez que Estados Unidos se hacía eco de la idea anexionista. Con anterioridad el presidente Jefferson se entendía con José de Arango, en la medida en que en España se manifestaban peligrosas tendencias liberales en favor de suprimir la esclavitud. Tampoco fue la última, ya que una nueva oferta para la compra de Cuba la realizó el presidente estadounidense Pierce en 1854, y el gobierno liberal de Madrid rechazó la proposición.

De manera específica, el rechazo a la oferta del presidente Polk estimuló a los partidarios del «Destino Manifiesto» y de la «República Yanqui Universal» a promover el expansionismo por medio del uso de la fuerza. El sur esclavista de los Estados Unidos apoyó la expedición que desde Nueva Orleans lanzó el general venezolano Narciso López para tal fin. Su proyecto original era repetir el derrotero seguido por Texas: declarar primero su independencia para luego consumar la anexión. Sus planes eran ya conocidos por las autoridades, de modo que cuando desembarcó en la isla fue apresado y se le aplicó la pena del garrote. Este intento, que naufragó en 1850, dejó como legado los componentes de la bandera (la estrella blanca, el fondo rojo y las bandas azules), que sería la base de la que enarbolara Carlos M. de Céspedes el 10 de octubre de 1868, para adquirir finalmente la fisonomía que actualmente conocemos por decisión de la Asamblea Constituyente de 1869.

Para mediados del siglo XIX la esclavitud continuaba siendo el problema principal para asegurar la expansión de la producción azucarera. En 1792 había 473 molinos azucareros que produjeron unas 17.000 toneladas; en 1810 eran 1.500 los ingenios, y 37.000 toneladas la producción total. En 1824, año de la batalla de Ayacucho que sella el triunfo definitivo de los ejércitos americanos sobre España, en Cuba la élite dominante ha optado por permanecer leal a la colonia, a cambio de consensuar la «Paz Social», es decir el control indiscutido sobre los esclavos. La elección aparece como ventajosa en términos económicos: la producción de azúcar se ubica en 49.065 toneladas. Este crecimiento sostenido se transforma en un verdadero *boom* a partir de los años 30. En 1840 se producen 160.891 toneladas y una década más tarde el total sube hasta 223.145 toneladas. En 1860, estimulada por una subida de precios que lleva de seis a diez centavos la libra de azúcar, la zafra asciende a 447.000 toneladas, y en 1870, a poco de iniciada la guerra de los diez años, el registro es de 726.000 toneladas.

Aunque el gobierno británico se manifiesta contrario a la institución de la esclavitud, esto no impide que sus capitales se inviertan en la construcción de la primera línea férrea de la isla y de Hispanoamérica. Bajo la dirección del ingeniero norteamericano Alfred Kruger se inauguran en 1837 los primeros 100 kilómetros de vía, conectando La Habana con Bejucal. La mano de obra empleada incluía irlandeses y canarios, a la que se sumarán convictos españoles y también esclavos.

Hasta 1834 el café constituyó el principal artículo de exportación. En la isla existían más de dos mil plantaciones de café, un número seis veces superior a los de las haciendas de azúcar. Sin embargo, las represalias que adoptó Estados Unidos contra España, además de factores climáticos como la devastación que generaron varios huracanes, redujeron sensiblemente la producción de café. En el decenio de 1860 las 782 plantaciones de café que aún existían no alcanzaban a cubrir las necesidades del propio mercado doméstico. Cuba devino en un país importador de café.

El tabaco resurgió con fuerza en la tercera década del siglo XIX. Existían 5.534 fincas, y su producción se convirtió en la segunda en importancia en la isla.

Tras el triunfo de la Revolución en 1959 el registro testimonial se convirtió en un género priorizado. En 1963 Miguel Barnet recogió la voz de Esteban Montejo, un ex esclavo que por entonces tenía 104 años. El libro se publicó con el título *Memoria de un cimarrón* y el fragmento que reproducimos se refiere a la «explicación» sobre el origen del esclavismo en Cuba.

*La esclavitud*

Hay cosas que no me explico de la vida. Todo eso que tiene que ver con la Naturaleza para mí está muy oscuro y lo de los dioses más. Ellos son los llamados a originar todos estos fenómenos que uno ve, que yo vide y que es positivo que han existido. Los dioses son caprichosos e inconformes. Por eso aquí han pasado tantas cosas raras. Yo me acuerdo que antes, en la esclavitud, yo me pasaba la vida mirando para arriba, porque el cielo siempre me ha gustado mucho por lo pintado que es. Una vez el cielo se puso como una brasa de candela y había una seca furiosa. Otro día se formó un eclipse de sol. Empezó a las cuatro de la tarde y fue en toda la isla. La luna parecía que estaba peleando con el sol. Yo me fui dando cuenta que todo marchaba al revés. Fue oscureciendo y oscureciendo y después fue aclarando y aclarando. Las gallinas se encaramaron en los palos. La gente no hablaba del susto. Hubo quien se murió del corazón y quien se quedó mudo.

Eso mismo yo lo vide otras veces, pero en otros sitios. Y por nada del mundo preguntaba por qué ocurría. Total, yo sé que todo eso depende de la Naturaleza. La Naturaleza es todo. Hasta lo que no se ve. Y los hombres no podemos hacer esas cosas porque estamos sujetos a un Dios, a Jesucristo, que es del que más se habla. Jesucristo no nació en África; ese vino de la misma Naturaleza, porque la Virgen María era señorita.

Los dioses más fuertes son los de África. Yo digo que es positivo que volaban. Y hacían lo que les daba la gana con las hechicerías. No sé cómo permitieron la esclavitud.

La verdad es que yo me pongo a pensar y no doy pie con bola. Para mí que todo empezó cuando los pañuelos *punzó*. El día que cruzaron la muralla. La muralla era vieja en África, en toda la orilla. Era una muralla hecha de yaguas y bichos brujos que picaban como diablos. Espantaron por muchos años a los blancos que intentaban meterse en África. Pero el *punzó* los hundió a todos. Y los reyes y todos los demás se entregaron facilito. Cuando los reyes veían que los blancos, yo creo que los portugueses fueron los primeros, sacaban los pañuelos *punzó* como saludando, les decían a los negros: «Anda, ve a buscar pañuelo *punzó,* anda.» Y los negros, embullados con el *punzó,* corrían como ovejitas para los barcos y ahí mismo lo cogían. Al negro siempre le ha gustado mucho el *punzó*. Por culpa de ese color les pusieron las cadenas y los mandaron para Cuba. Y después no pudieron volver a su tierra. Ésa es la razón de la esclavitud de Cuba.

# Capítulo 3

## DEL ANEXIONISMO AL GRITO DE YARA

En 1861, Estados Unidos debió concentrarse en la guerra civil. El triunfo del Norte echó por tierra las expectativas de los hacendados cubanos de poder conservar la institución esclavista mediante la anexión por parte de aquel país; Abraham Lincoln se convierte en el garante de la nueva situación y la restricción de la trata no tarda entonces en hacerse más estricta. El año 1867 puede ser señalado como la fecha en que se pone fin al comercio internacional de esclavos, que tiene como punto de llegada Cuba.

Siguiendo la ley de hierro de la oferta y la demanda, la disminución en el número de esclavos, debido a la restricción impuesta al ingreso de los mismos, condujo al sensible encarecimiento de esta «mercancía». Los plantadores empezaron a pensar entonces en una mano de obra sustituta, y fue por esto por lo que se recurrió al sistema de contratación de inmigrantes gallegos, canarios, irlandeses e indios de Yucatán. Pero el grupo más numeroso fue el de los *coolies* chinos, cuyas condiciones de vida y de trabajo eran aún peores que las de los esclavos.

En un artículo publicado en *The New York Tribune* el 10 de abril de 1857, su autor enjuicia a la prensa de Inglaterra por su silencio frente a las sistemáticas violaciones del Tratado de Nanking (firmado tras la Primera Guerra del Opio), y en tono de denuncia afirma: «Nada oímos de los tormentos inflingidos, "incluso hasta la muerte", a emigrantes embaucados y hechos cautivos, a los que se vende, en condiciones peores que las de esclavitud, en las costas del Perú y como siervos en Cuba.»

Clausurada la posibilidad del anexionismo y agotada la vía de inyectar de manera constante mano de obra esclava, los hacendados se concentran en la tarea de demorar la abolición y reclamar indemnizaciones en caso de que esto se produzca. Mientras tanto, la burguesía agraria, fundamentalmente de la región oriental, cuestionaba el pacto de sujeción colonial y encabezaba la gesta independentista. Abrumada por los altos impuestos, su rol diferencial se relaciona con la desigual composición sociodemográfica regional. En occidente el 40 por cuento de la población son esclavos, mientras que en la región oriental tan sólo un 19 por ciento.

En España los ocasionales períodos de gobierno liberal generan alguna expectativa de reforma, pero la misma no se hace efectiva. La crisis económica internacional incrementa los efectos negativos sobre la economía cubana y se generaliza la idea de que: «A España no se la convence, se la vence».

El sector occidental de la isla, donde se concentran las plantaciones y los esclavos, no quiere asumir riesgos, mientras el sector oriental encuentra a figuras como Ignacio Agramonte o Carlos Manuel de Céspedes, hacendados dispuestos a negarse a pagar los impuestos e impulsar un levantamiento generalizado. En 1868, Céspedes, sin consultar a los otros, proclamó en La Demajagua la independencia de Cuba.

Tras una primera derrota en Yara, los patriotas toman la localidad de Bayamo. El gobierno colonial comienza a entender que es necesario aplastar el levantamiento. La guerra, aunque circunscrita a la parte oriental de la isla, demanda la

*Carlos Manuel de Céspedes.*

presencia de más de 100.000 soldados y diez años de combates. La guerra de guerrillas que practicó el ejército rebelde, valiéndose del conocimiento del terreno y del apoyo de los campesinos, le otorgan una superioridad táctica sobre el ejército español que, además, se ve sometido a las enfermedades tropicales, como la fiebre amarilla y la malaria.

En 1869, una Asamblea Constituyente, reunida en la población de Guaicinaro, promulga una Constitución liberal que reconoce la emancipación de los esclavos y adopta la forma republicana de gobierno. Se aprueba también una moción de anexión a los Estados Unidos.

Después de varios años de guerra, los iniciadores del movimiento se encuentran muertos o en el exilio. Un nuevo liderazgo emerge al calor del conflicto bélico: el dominicano Máximo Gómez y el mulato cubano Antonio Maceo imprimen a la lucha un carácter más comprometido y radicalizado. La estrategia ahora incluye el incendio de las plantaciones occidentales, con el objetivo de arruinar los ingresos fiscales de España y liberar a miles de esclavos y campesinos para que se sumen a las fuerzas independentistas.

En 1878, se firma la Paz de Zanjón; Gómez, Maceo y otros líderes que no aceptan los términos del mismo se ven obligados a exiliarse. Al descubierto ha quedado la consistencia de una conciencia nacional cubana que encuentra como contrapartida la brutalidad represiva de España.

Después de la guerra, y a los efectos de desarmar a las fuerzas rebeldes, el gobernador general de Cuba encarga al renombrado general libertador Guillermo Moncada (Guillermón) la mensura y reparto de tierras realengas a los integrantes del ejército en la región oriental del país. Moncada será deportado al año siguiente por su participación en la «guerra chiquita» (1879), pero la labor iniciada llevó a que combatientes, con autorización o sin ella, ocuparan esos terrenos.

Desde la Guerra de los Diez Años hasta finales del siglo XIX, la industria azucarera experimenta un proceso de crisis y reestructuración radical. Los antiguos ingenios, controlados por la otrora aristocracia hacendaria, son abandonados o destruidos y reemplazados por los nuevos «centrales». Surge una clara diferenciación entre el sector industrial y el sector agrícola, correspondiendo al capital extranjero norteamericano un rol sumamente activo.

La primera compañía norteamericana que hace inversiones importantes en la industria del azúcar cubano es la firma comercial E. Atkins y Compañía, adquiriendo la hacienda Soledad, de 4.860 ha. Y 37 kilómetros de vías férreas propias, que pertenecían a la familia Sarriá, la que no pudo afrontar los compromisos financieros que había contraído. Esta compañía de Boston renovó inmediatamente el equipo industrial, pero las técnicas agrícolas no habían cambiado, lo que obligaba a que durante el período de la zafra este inmenso ingenio emplease a 1.200 hombres. La tendencia se profundizó después del Tratado con España, firmado en 1891, por el que se permitía el ingreso sin restricciones del azúcar cubano en el mercado norteamericano.

Con respecto a la tajante diferencia entre el sector industrial y agrícola, es importante destacar los cambios tecnológicos que se introducen y los cambios que ello conlleva en la mano de obra que se emplea, en los métodos de comercialización y en los cambios en la clase empresarial. La nueva maquinaria requiere mano de obra asalariada, con una calificación superior a la que provee el trabajo esclavo.

En materia de comercialización, surge en Estados Unidos la American Sugar Refining Co, nuevo trust que estaba dirigido por Henry O. Havemeyer, y desde 1888 reunía a diecinueve refinerías. Durante los veinte años siguientes, esta empresa que se había conformado para reducir los costos y limitar la competencia, produjo entre el 70 y 90 por ciento del azúcar consumido en Norteamérica.

La concentración en el mercado y los cambios tecnológicos en las unidades productivas se reflejaron en la caída de los precios de azúcar bruto en el mercado de Nueva York, pasando de 10 centavos en 1870 a 3,2 centavos en 1894. Además, desde 1840 la remolacha azucarera comienza a ganar espacio en el mercado europeo: para mediados del siglo XIX apenas cubría el 10 por ciento de la producción mundial, pero se convierte en una seria competidora cuando en 1884 la producción rebasa el 50 por ciento del total.

Se puede afirmar que para 1890, el comercio azucarero estaba dotado de todos los rasgos principales que van a pervivir hasta 1959; estos rasgos habría que agregar la gran variedad de tipos de azúcar y la estandarización en un saco. También se perfeccionan los envases y la revolución en las comunicaciones agiliza el traslado de la mercancía.

Para finales de la década de los 90 del siglo XIX se incrementa el flujo de inversiones de capital extranjero, fundamentalmente norteamericano, en la erección de los establecimientos «centrales», mientras los cubanos conservan predominio en la fase agrícola del ciclo productivo. La típica plantación esclavista ha sido desplazada por las avanzadas modificaciones que introduce el modelo central, cuya actividad principal era el procesamiento de la caña, pero que se conecta con el ferrocarril, la central eléctrica y las fundiciones, junto con un abanico importante de otros «servicios». Un ingenio como el Santa Lucía de Gibara contaba con: 5 almacenes generales, 7 abacerías, 1 zapatería, 3 barberías, 1 destilería, 1 farmacia, 9 bares, 1 escuela, 1 pastelería, 2 cantinas, 3 herrerías, 3 panaderías, 3 tiendas de ropas, 2 sastrerías y 1 guarnicionería.

En los últimos años del siglo XIX un nuevo panorama socio-económico reestructuraba la relación entre las distintas clases sociales y los agrupamientos políticos. La esclavitud ha quedado definitivamente abolida en 1886; el sector de los criollos partidarios de mantenerse ligados a la corona, gozando de una amplia autonomía y de igualdad de derechos, se ve frustrado cuando España sanciona reformas, como la ampliación de ciertos derechos políticos a los nacidos en la isla, entre los que no se incluye el sufragio universal (proclamado en la metrópoli en 1890). Igualmente insuficientes son las posibilidades de España de limitar la creciente absorción de las exportaciones cubanas por parte

*Pedro Figueredo Cisneros, autor del himno nacional de Cuba.*

del mercado norteamericano. Ya a mediados del siglo XIX, las exportaciones que tenían por destino a éste eran de 28 millones de pesos, frente a los siete millones de pesos que tenía por destino a España. Esta tendencia se profundizó en la década siguiente, donde el 62 por ciento de las exportaciones de la isla iban a Estados Unidos, mientras tan sólo un 3 por ciento llegaba a las costas de la Península Ibérica. En lo que respecta a las importaciones, la dependencia de Cuba hacia Estados Unidos no resultó menos significativa. Mientras que para esa misma fecha, las importaciones tenían un 30 por ciento de origen en España y un 20 por ciento en los Estados Unidos, en 1890 el valor de los productos del gran país del Norte ingresados se ubicaba en los 61 millones de pesos, mientras que los procedentes de España apenas llegaban a los siete millones.

HIMNO NACIONAL DE CUBA

El autor de la letra y de la música fue Pedro Figueredo Cisneros, entre el 13 y 14 de agosto de 1867. Se entonó por primera vez el 20 de octubre de 1868 en Bayamo.

I

Al combate corred, bayameses,
Que la Patria os contempla orgullosa.
Romped ya la cadena ominosa
A los gritos de ¡Honor! ¡Libertad!

II

No queráis con cadenas vivir
En afrenta y oprobio sumidos,
Del clarín escuchad los sonidos
¡A las armas valientes volad!

# Capítulo 4

## ENTRE MARTÍ Y LA INTERVENCIÓN NORTEAMERICANA: LA INDEPENDENCIA

Para los años 90, el azúcar era el principal artículo de exportación y Estados Unidos ejercía un claro dominio sobre ese mercado, pero la inversiones de capital extranjero no se limitaban a ese renglón: el capital norteamericano se dirige también a otros destinos productivos, pero aún está lejos de ser el principal inversor, si se exceptúa la industria minera, y aun en este caso hay que tener presente que durante gran parte del siglo XIX la principal industria minera había sido la del cobre. El principal yacimiento, situado en las proximidades de Santiago de Cuba, estuvo bajo el control del capital inglés. A partir de los 80, España promueve una nueva legislación en materia minera que permite a las compañías norteamericanas desembarcar en la isla en 1883 para explotar yacimientos de hierro y cromo, a los que se suman luego los de manganeso y níquel.

Los ingleses mantienen su predominio sobre los ferrocarriles, mientras que los españoles controlaban numerosas empresas. Durante esos años en Cuba no se cuenta con bancos norteamericanos.

Estados Unidos ingresa en la fase típicamente imperialista; un nuevo anexionismo recorre la opinión pública y los programas de gobierno, no ya para garantizar la pervivencia de la esclavitud sino para asegurar sus inversiones de capital y una porción del mercado que considera que naturalmente le corresponde.

Se fortalece la dependencia económica de Cuba con Estados Unidos, al tiempo que se debilita el lazo colonial con la metrópoli. Presentes estos datos estructurales, se preanuncia que un nuevo enfrentamiento por la independencia está próximo. En efecto, ésta da comienzo en 1895, contando con figuras como el general Máximo Gómez, que libró combates famosos en la guerra de los Diez Años; el general Antonio Maceo, que intervino en la Guerra Chiquita, y la excelsa personalidad de José Martí. Un rápido repaso por la vida de este último ayuda a entender su temprano compromiso con la reivindicación de una Cuba emancipada, de quienes deben ser sus principales agentes y cuál es su modelo de república futura.

José Martí nació en La Habana el 28 de enero de 1853. A los diecisiete años fue condenado a seis años de trabajos forzados, debido a una carta en la que critica a un colega que se había alistado en el ejército español. Tras varios meses de prisión, es deportado a España y allí publica su primer libro, *El presidio político en Cuba*. En el prólogo afirmaba: «el amor es lo único que crea».

En 1873 se proclama en España la República. José Martí es testigo de la interrupción del régimen monárquico y aprovecha esta nueva situación que se ha creado en la metrópoli para saludar el triunfo republicano, pero para advertir también que el honor y la gloria que alumbran este nacimiento puede degenerar en infamia e insensatez si no se es coherente con los principios que le dan fundamento. Publica entonces en Madrid un folleto en el que se propone no predecir, ni prejuzgar, el comportamiento futuro de la República, pero en el que siente la obligación de interpelar sin circunloquios a ésta. Se interroga sobre la actitud del gobierno, que acaba de asumir el poder hacia su Cuba natal y

*Estatua ecuestre de José Martí, Nueva York.*

reclama la correspondencia entre las ideas basales y las realidades históricas.

Con un razonamiento lógico imposible de refutar, Martí señala que si la negación del derecho de conquista es un elemento constitutivo de la idea de república, no puede perdurar en el tiempo el estatus colonial de Cuba, al cual quedó reducida por España a partir de que ésta se impusiera por el derecho que funda en la conquista. Insiste: «La República se levanta en hombros del sufragio universal, de la voluntad unánime del pueblo, es esta voluntad popular, impedida de expresarse a través del sufragio universal, la que se alza en armas y reclama la independencia de Cuba. El derecho a ser libre, al que apela la República para su proclamación, resultaría traicionado si se negase a otro pueblo.»

Pero no es sólo la razón y la justicia, como principios abstractos o ideales, los que demuestran que Cuba ya no puede pertenecer a España; también hay una realidad histórica que divide a estas dos naciones y son los cadáveres que por voluntad de España se interponen. El futuro queda abierto como un interrogante y Martí hace votos por que «no se infame la República española, no detenga su ideal triunfante, no asesine a sus hermanos, no vierta la sangre de sus hijos, no se oponga a la independencia de Cuba».

Se gradúa en Zaragoza, viaja por toda Europa, ejerce el periodismo en México y trabaja de maestro en Guatemala. Retorna a Cuba en 1878, pero es obligado nuevamente por las autoridades a dejar la isla. Se traslada a Venezuela y en 1881 se instala en Nueva York, desde donde colabora como cronista con numerosas publicaciones hispanoamericanas.

En 1889 Martí se siente obligado a refutar una serie de artículos aparecidos en la prensa norteamericana, entre los que se encuentra «¿Queremos a Cuba?». Se trata de un artículo reproducido en *The Manufacturer*, una publicación de Filadelfia en la que colaboran figuras importantes del Partido Republicano. Veamos cuál es el eje argumental por la que transita la pluma del autor y que tanta indignación despertó en Martí.

El artículo se inicia tomando nota acerca de la posibilidad de que el gobierno de los Estados Unidos compre a España la isla de Cuba. La propuesta se le presenta como viable en la medida que la empobrecida España se vería tentada a ceder por una suma considerable, pues su mala administración de la isla ha menguado los recursos que de ésta drenaban hacia la Península Ibérica. Para Norteamérica sería beneficioso poder contar con la llave del Caribe y de los accesos a «los canales interoceánicos», amén de que una administración sana volvería a poner en valor el potencial productivo desperdiciado. El inventario es tan escueto como contundente: «Su tabaco es el mejor del mundo. Es el suelo favorito de la caña. Y su adquisición nos emanciparía inmediatamente de todo el universo en nuestra provisión de azúcar. Allí prosperan todos los frutos tropicales. Adueñarnos de la isla sería extender los límites de nuestra producción de lo subtropical a todo lo tropical.»

Sin embargo, el costado negativo de tan buen negocio no tarda en aparecer: es la incapacidad de la población que habita la isla para convertirse en ciudadanos, en caso de concretarse la anexión. Para el articulista los españoles son los menos preparados, entre los hombres de raza blanca, para asumir ese rol. Su congénito fanatismo por la tiranía y amor a la corrupción lo imposibilitan. Los cubanos son menos deseables, porque además de heredar los defectos de los anteriores unen «el afeminamiento y una aversión a todo esfuerzo que llega verdaderamente a enfermedad». Pereza, indolencia y moral deficiente inhiben a los nativos el ejercicio de la ciudadanía. Los negros se encontrarían en el nivel de barbarie, aún muy por debajo de los negros «más degradados de Georgia». La solución a todo esto sería la de «americanizar» la isla con el implante de población norteamericana, pero queda abierta la cuestión de si esta inmigración «no degeneraría bajo un sol tropical».

Frente a este brulote que concluye que Estados Unidos podría hacerse con Cuba a un precio muy bajo, pero que finalmente sería muy caro, José Martí responde, en primer lugar, que ningún cubano decoroso puede admitir el anexionismo y después rescata una y otra vez el carácter de los cubanos frente al sufrimiento y la adversidad. Pero más allá de la lógica defensa de la independencia de Cuba y de sus hombres, es interesante destacar la caracterización que hace de los Estados Unidos, de esa gran nación que admira, pero a la cual no puede dejar de señalarle honradamente que el exacerbado individualismo y el endiosamiento de la riqueza conduzcan a que se imponga una opinión basada en las apetencias ilimitadas de poder. «Amamos —decía Martí— la patria de Lincoln, tanto como tememos a la patria de Cutting.»

Indignado por la soberbia y el racismo de un sector de la elite blanca norteamericana, y partidario de la integración racial para alumbrar una nueva «cubanidad» acorde con los sentimientos de humanidad, decide concentrar todas sus fuerzas en la organización de una expedición que tiene por objetivo la independencia de su patria. Se aboca entonces a la unificación de los distintos grupos de exiliados que estaban enfrentados entre sí y en 1892 fundó el Partido Revolucionario Cubano.

Hace un llamamiento a todos los hombres de todas las razas y clases sociales y cuando, en enero de 1895, todo parece listo para dar inicio a la expedición emancipadora, el gobierno norteamericano confisca el material bélico y los barcos que debían servir de transporte. Este golpe no detiene a José Martí, que se traslada a la República Dominicana para reunirse con Máximo Gómez y lanzar conjuntamente el Manifiesto de Monte Cristo.

La lucha por la independencia se ha puesto en marcha. José Martí tiene plena conciencia de los riesgos que esto implica. El 19 de mayo de 1895 muere en el combate de Dos Ríos. Unos meses antes había escrito a su madre: «Yo sin cesar pienso en usted, que se duele, en el cólera de su amor, del sacrificio de mi vida»; y más adelante agrega: «El deber de un hombre está allí donde es más útil». Reconociendo que «Abrace a mis hermanas y a sus compañeros. ¡Ojalá pueda algún día verlos a todos a mi alrededor, contentos de mí! Y entonces sí que cuidaré ya de usted con mimo y con orgullo. Ahora, bendígame y crea que jamás saldrá de mi corazón obra sin piedad y sin limpieza. La bendición». La misma concluye con la frase: «No son inútiles la verdad y la ternura», que se tomará como consigna para los revolucionarios posteriores.

La muerte de Martí priva al movimiento independentista de la personalidad civil más destacada y respetada. En el terreno militar la guerra continúa bajo la conducción de los generales Máximo Gómez y Antonio Maceo. De manera urgente se convoca a una Asamblea Constituyente, que se reúne en septiembre de 1895, en la localidad de Jimaguayú. Allí se aprueba un nuevo texto constitucional y se elige como presidente de la República a Salvador Cisneros Betancourt. A pesar de que esta elección recae sobre un rico aristócrata de Camagüey, la mayoría de los hombres que integran la convención no pertenecen a las familias aristocráticas tradicionales. Tomás Estrada Palma, que había sido el último presidente en armas en la guerra de los

Diez Años, es designado representante de la República en el exterior.

El general Antonio Maceo, que en abril de 1895 había desembarcado en la parte oriental de la isla, inicia su marcha hacia la parte occidental. En Las Villas se le une Máximo Gómez con un pequeño contingente y además prohíbe la realización de la zafra azucarera. Mediante esta orden se busca que las tropas cubanas destruyan y quemen todo aquello que pudiera proporcionar ingresos al enemigo.

A principios de 1896 las fuerzas criollas habían atravesado toda la isla y estaban a las puertas de La Habana. Los españoles llaman a estas tropas *mambises,* probablemente en referencia al término africano que se utiliza en Santo Domingo para aquellos que crían monos o buitres. Los cubanos asumieron como propia aquella denominación que, en principio, tenía un claro contenido peyorativo.

Dispuesto a revertir el rumbo que iban tomando los acontecimientos, el jefe de gobierno español, Antonio Cánovas del Castillo, se decide a luchar «hasta el último hombre y la última peseta» y coloca al frente de las fuerzas realistas al general Valeriano Weyler. Éste lanza una contraofensiva sanguinaria, implanta campos de prisioneros y de concentración de la población, pero después de nueve meses de desplegar una guerra de exterminio apenas ha logrado pacificar dos provincias.

La muerte de Maceo combatiendo en la provincia de La Habana constituye un revés para las fuerzas y la moral cubana. Junto a él cae también el hijo de Gómez. Weyler aprovecha este golpe para concentrar sus 40.000 soldados en Las Villas, donde se encuentra el cuartel general de Máximo Gómez, y anuncia que en pocas semanas tendrá el control total sobre el territorio. Gómez, con un número de soldados diez veces inferior, apela a la guerra de guerrillas como táctica para resistir. Evita así un encuentro frontal con las tropas colonialistas, y su gran movilidad le permite atacar de manera sorpresiva a distintas columnas y hostigar de una manera sostenida a los españoles, que ahora parecen paralizados.

En 1897 Cánovas del Castillo muere a manos de un anarquista italiano que se encontraba en contacto con los exiliados puertorriqueños y cubanos que estaban en Europa. Debido al cambio de gobierno en la metrópoli, se le ordena a Weyler que retorne a España y se intenta un cambio de política, declarando la autonomía administrativa y política de Cuba y Puerto Rico. Los rebeldes se niegan a reconocer el nuevo estatus y prosiguen con su demanda independentista.

Los Estados Unidos siguen con sumo interés y preocupación todo lo que está ocurriendo. Al llegar a la presidencia William McKinley en 1897, se niega a reconocer tanto el estatus beligerante de las tropas cubanas como la independencia de la isla. William Randolph Hearst, el magnate norteamericano fundador de la primera gigantesca cadena de periódicos, organiza una sistemática campaña antiespañola y proimperialista. Día tras día sus diarios reviven las atrocidades cometidas por Weyler, presentándolo como un verdadero carnicero, al igual que al poder español que él representa. La propaganda se carga de elementos emocionales para movilizar a la opinión pública y al mismo tiempo resulta funcional a los intereses de los sectores capitalistas expansionistas.

Alarmado por la situación que se había creado, el cónsul norteamericano solicita a su gobierno la presencia «amistosa» del acorazado *Maine*. Éste arriba al puerto de La Habana el 25 de enero de 1898 y se instala allí como ostentación clara del poderío naval norteamericano.

Un incidente diplomático entre España y Estados Unidos es la excusa para exacerbar aún más los ánimos de la opi-

*El acorazado* Maine *en el puerto de La Habana, poco antes de la explosión que acabaría por hundirle.*

nión pública norteamericana contra España. La correspondencia del ministro español en Washington había sido interceptada por los revolucionarios cubanos y su publicación generó un verdadero escándalo. El tono despectivo con el que se refería al presidente McKinley y a los autonomistas cubanos obligó a que este miembro del cuerpo diplomático presentara su renuncia y el gobierno español manifestara oficialmente sus excusas. Ni una ni otra decisión fueron, o podían ser, eficientes para calmar los ánimos y evitar una intervención militar. El 15 de febrero se produce la voladura del *Maine*, que deja como saldo la muerte de 266 tripulantes.

Para Hearst, la voladura había sido provocada por los españoles; para los españoles se trataba de un autoatentado. En pie quedaban dos hipótesis plausibles: que el origen del estallido sea el resultado de una explosión accidental de una caldera del barco, en un momento de máxima tensión entre las partes. La otra posibilidad lleva a pensar que se trató de un sabotaje realizado por patriotas cubanos para debilitar aún más a España. Sea cual sea el origen de la voladura, Cuba pasó a ocupar el centro del debate del Congreso y de la opinión pública norteamericana.

Las posiciones iban desde el tradicional planteamiento de promover la anexión total de la isla, hasta apoyar a los patriotas criollos para que accedieran a una independencia plena. El 11 de abril el presidente McKinley pide al Congreso autorización para el envío de tropas a Cuba. La petición no era a título personal, sino que la hacía «en nombre de la humanidad, en nombre de la civilización y en nombre de los intereses norteamericanos en peligro». El Congreso aprueba una resolución en la que se reconoce al pueblo cubano el derecho de ser libre e independiente; al tiempo que taxativamente los Estados Unidos niegan «cualquier disposición e intención de ejercer soberanía, jurisdicción o control sobre la citada isla...», insistía con «dejar el gobierno y el control de la isla a su pueblo». Pero lo cierto es que ya existía un gobierno cubano cuya soberanía era ignorada.

El ingreso de Estados Unidos en la guerra es visto con simpatía por los rebeldes cubanos. José Martí y Antonio Maceo, que habían sido críticos de esa posibilidad, estaban muertos. El general Máximo Gómez rechazó el ofrecimiento que le hiciera el gobernador español de la isla, el general Blanco, de combatir de manera conjunta a los invasores; mientras que el general Calixto García (que ocupaba el lugar de Maceo) confía en que los norteamericanos cumplirán su promesa de respetar la soberanía de Cuba.

Los combates se iniciaron en mayo. La fuerza expedicionaria norteamericana atacó la ciudad de Santiago de Cuba con el apoyo del general Calixto García. La flota norteamericana mantenía el bloqueo naval. Al hacerse insostenible la resistencia española en la ciudad, el capitán general Blanco ordena a su flota romper el bloqueo. El 3 de julio de 1898 la escuadra española es aniquilada. La aplastante superioridad naval de los Estados Unidos, forjada a la luz de la doctrina que asignaba a la marina de guerra el carácter de brazo armado de la nación, deja indefensa a España para proteger no sólo Cuba, sino también Puerto Rico, Guam y Filipinas, que también pasan a ser controladas por los norteamericanos.

España solicita el cese del fuego y el 12 de agosto de 1898 se firma en Washigton el Protocolo estableciendo los preliminares de paz. En su primer artículo se establece que «España renunciará a toda pretensión, a toda su soberanía y a todos sus derechos sobre Cuba»; en el segundo se ceden a Estados Unidos la «isla de Puerto Rico» y «una isla en las Ladrones» a elección (la isla escogida fue Guam). El 10 de diciembre, sin la presencia de representantes cubanos, se firma en París el Tratado de Paz ratificando los puntos que ponen fin a la dominación española sobre las islas de Cuba, Puerto Rico y Filipinas.

Frente a la nueva situación, el general Máximo Gómez ordena la desmovilización del ejército, recibiendo el primero una pensión generosa y las tropas la parte correspondiente de los 3.000.000 de dólares destinados a garantizar la entrega de las armas. La paz se refuerza con el envío de nuevas tropas norteamericanas: quince regimientos de voluntarios de infantería, uno de ingenieros y batallones de artillería. Esta dotación militar supera a la que se había empleado para luchar en contra de España.

Con el fin de unificar la acción de los distintos grupos políticos que existían en el exilio, José Martí preparó la siguiente plataforma, que fue aprobada por los emigrados cubanos y puertorriqueños en abril de 1892.

BASES DEL PARTIDO REVOLUCIONARIO CUBANO

*Artículo 1.º* El Partido Revolucionario Cubano se constituye para lograr, con los esfuerzos reunidos de todos los hombres de buena voluntad, la independencia absoluta de la isla de Cuba y fomentar y auxiliar a la de Puerto Rico.

*Artículo 2.º* El Partido Revolucionario Cubano no tiene por objeto precipitar inconsideradamente la guerra en Cuba, ni lanzar a toda costa al país a un movimiento más dispuesto y discorde, sino ordenar, de acuerdo con cuantos elementos vivos y honrados se le unan, una guerra generosa y breve, encaminada a asegurar en la paz y el trabajo la felicidad de los habitantes de la isla.

*Artículo 3.º* El Partido Revolucionario Cubano reunirá los elementos de revolución hoy existentes y allegará, sin compromisos inmorales con pueblo u hombre alguno, cuantos elementos nuevos pueda, a fin de fundar en Cuba, por una guerra de espíritu republicano, una nación capaz de asegurar la dicha durable de sus hijos y de cumplir, en la vida histórica del continente, los deberes difíciles que su situación geográfica le señala.

*Artículo 4.º* El Partido Revolucionario Cubano no se propone perpetuar en la República Cubana, con formas nuevas o con alteraciones más aparentes que esenciales, el espíritu autoritario y la composición burocrática de la colonia, sino fundar, en el ejercicio franco y cordial de las capacidades legítimas del hombre, un pueblo nuevo y de sincera democracia, capaz de vencer, por el orden del trabajo real y el equilibrio de las fuerzas sociales, los peligros de la libertad repentina en una sociedad compuesta para la esclavitud.

*Artículo 5.º* El Partido Revolucionario Cubano no tiene por objeto llevar a Cuba una agrupación victoriosa que considere la isla como su presa y dominio, sino preparar, con cuantos medios eficaces le permita la libertad del extranjero, la guerra que se ha de hacer para el decoro y bien de todos los cubanos y entregar a todo el país la patria libre.

*Artículo 6.º* El Partido Revolucionario Cubano se establece para fundar la patria una, cordial y sagaz, que desde sus trabajos de preparación y en cada uno de ellos vaya disponiéndose para salvarse de los peligros internos y externos que la amenacen, y sustituir al desorden económico en que se agoniza con un sistema de hacienda pública que abra el país inmediatamente a la actividad diversa de sus habitantes.

*Artículo 7.º* El Partido Revolucionario Cubano cuidará de no atraerse, con hecho o declaración alguna indiscreta durante su propaganda, la malevolencia o suspicacia de los pueblos con quienes la prudencia o el afecto aconsejan o impone el mantenimiento de relaciones cordiales.

*Artículo 8.º* El Partido Revolucionario Cubano tiene por propósitos concretos los siguientes:

I. Unir en un esfuerzo continuo y común la acción de todos los cubanos residentes en el extranjero.
II. Fomentar relaciones sinceras entre los factores históricos y políticos de dentro y fuera de la isla que puedan contribuir al triunfo

rápido de la guerra y a la mayor fuerza y eficacia de las instituciones que después de ella se funden, y deben ir en germen en ella.

III. Propagar en Cuba el conocimiento del espíritu y los métodos de la revolución, y congregar a los habitantes de la isla en un ánimo favorable a su victoria, por medios que no pongan innecesariamente en riesgo las vidas cubanas.

IV. Allegar fondos de acción para la realización de su programa, a la vez que abrir recursos continuos y numerosos para la guerra.

V. Establecer discretamente con los pueblos amigos relaciones que tiendan a aclarar, con la menor sangre y sacrificios posibles, el éxito de la guerra y la fundación de la nueva Republica, indispensable para el equilibrio americano.

*Artículo 9.º* El Partido Revolucionario Cubano se regirá conforme a los estatutos secretos que acuerden las organizaciones que lo fundan.

# Capítulo 5

## APROBACIÓN, VIGENCIA Y ABROGACIÓN DE LA ENMIENDA PLATT

El 1 de enero de 1899 comenzó la administración norteamericana en Cuba. En ese mismo año muere el general Calixto García. El panorama general que presentaba la isla era desolador. En términos demográficos la población había disminuido de 1.850.000 habitantes en 1894 a 1.689.600 personas en 1898. Desde el punto de vista económico, la producción de azúcar había caído de 1.004.000 toneladas en 1895 a 225.000 toneladas los dos años siguientes. En 1898, 1899 y 1900 no se superaron las 300.000 toneladas. La ganadería se vio también sumamente afectada, ya que el 90 por ciento del ganado se había perdido. La producción de tabaco cayó de 560.000 a 88.000 quintales.

A principios de 1901 se redactó una Constitución basada en el modelo norteamericano. El punto principal de discusión fue establecer cómo se iban a regir las relaciones entre Cuba y Estados Unidos. El senador norteamericano Orville Platt propuso al Congreso de su país la aprobación de un texto que reconociera la soberanía de Cuba, al mismo tiempo que se otorgaba el derecho a Estados Unidos a intervenir cuando las circunstancias excepcionales así lo requirieran. El diputado por Michigan, Corlis, dio su voto afirmativo argumentando: «Yo voto por la enmienda..., porque creo que su adopción asegurará la continuidad de nuestra soberanía sobre Cuba.» La presión de la administración McKinley se hizo sentir y el 28 de mayo los convencionales constituyentes cubanos incorporan, por un estrecho margen de 15 votos contra 14, la Enmienda Platt. El texto que ahora adquiría estatus constitucional, en su artículo III establece que el gobierno cubano «consiente que los Estados Unidos puedan ejercer el derecho de INTERVENIR». La intervención directa del gobierno de Estados Unidos estaría supuestamente justificada porque el objetivo de la misma sería preservar la independencia cubana *(sic)* y preservar la orientación del gobierno en «la protección de la vida, la propiedad y la libertad individual y para cumplir las obligaciones que, con respecto a Cuba, han sido impuestas a los Estados Unidos. por el Tratado de París y que deben ahora ser asumidas y cumplidas por el gobierno de Cuba». Interpretado literalmente el texto, Estados Unidos se presenta como un agente pasivo al que se le ha impuesto la obligación de tutelar la protección de principios sagrados, como la libertad o la vida. Para poder cumplir con tales objetivos, en el artículo VII, Estados Unidos reserva para sí la base de Guantánamo.

Una vez promulgada la Constitución, se convocan elecciones. Tomás Estrada Palma recibe el apoyo de Máximo Gómez, que había sido el general en jefe del Ejército Libertador en 1895, y de Leonard Word, gobernador militar norteamericano. Su triunfo está asegurado. El 20 de mayo de 1902 se transfiere el control al nuevo gobierno integrado por cubanos y presidido por Tomás Estrada Palma. Como reaseguro, Estados Unidos contaba con la Enmienda Platt, la militarizada base naval de Guantánamo y el Proyecto de Tratado de Reciprocidad que es enviado al Congreso en 1902 por Roosevelt, con el argumento de que es un medio para «conquistar el rico mercado cubano para nuestros hacendados, artesanos, comerciantes e industriales». En el recinto del Congreso se escuchó un discurso a favor del Tratado de este tenor: «Hagamos que Cuba prospere en estrechas relaciones comerciales con los Estados Unidos. Llevemos allí el capital norteamericano, que desarrolle la isla y proporcione trabajo a sus habitantes.» Finalmente, éste es firmado y puesto en vigencia a partir de 1903, con beneficios para los grandes productores de azúcar de la contraparte cubana.

En 1905, con el objetivo de obtener su reelección, Estrada Palma abandona su carácter apartidista y se recuesta sobre una nueva fuerza política que se está construyendo y que se denomina: Partido Moderado. Aquellos funcionarios que no se adhieren y reconocen la jefatura política de este grupo son expulsados de los puestos gubernamentales. Los principales adversarios políticos de los moderados son los liberales, pero desde el punto de vista programático no hay grandes diferencias. Lo que se encuentra en disputa es la provisión de cargos.

Tomás Estrada Palma obtiene la reelección por métodos fraudulentos y los liberales ponen en marcha una insurrección armada. El ministro de Asuntos Exteriores de Cuba, por orden del presidente, se reúne con el cónsul general de Estados Unidos en La Habana y éste inmediatamente telegrafía a Washington. En el cable se solicita al presidente Roosevelt, a petición de Tomás Estrada Palma, el envío de dos barcos «para proteger vidas y propiedades». Esta petición para que se produzca una nueva intervención directa de parte de los Estados Unidos estaba acorde con el pensamiento que en otras oportunidades había manifestado el presidente cubano. En una carta dirigida a un amigo en aquel año de 1906 le expresaba: «Nuestro objetivo era poseer un gobierno estable capaz de proteger vidas y haciendas... Nunca he temido confesar, ni me asusta decirlo en voz alta, que una dependencia política que nos asegure las fecundas bendiciones de la libertad es cien veces preferible para nuestra amada Cuba que una república soberana e independiente, desacreditada y arruinada por la acción perniciosa de periódicas guerras civiles.»

Theodore Roosevelt envío a Taft, su ministro de la Guerra, y a Bacon, subsecretario de Asuntos Extranjeros, para colaborar en la tarea de encontrar una salida, pero teniendo como interlocutores a los dirigentes políticos y no al gobierno, que se había confesado incapaz. Tomás Estrada Palma, el vicepresidente y su Consejo de Ministros presentaron la renuncia. El Senado no pudo designar a nadie para reemplazarlo y el 29 de noviembre de 1906 Taft se proclamó a sí mismo gobernador general de la República de Cuba, amparado por el artículo III de la Enmienda Platt.

El «gobierno provisional... en nombre del presidente de los Estados Unidos» debía restablecer «el orden, la paz y la confianza pública» y convocar inmediatamente elecciones. La ocupación se mantuvo desde 1906 hasta 1909, quedando a cargo de la misma como gobernador provisional Charles Magoon.

El retorno a la «normalidad» llevó nuevamente a un cubano a asumir el cargo de presidente de la República. El principal grupo que se había beneficiado con el reparto de cargos públicos que había hecho Magoon eran los liberales; con la candidatura de José Miguel Gómez trepaban hasta la primera magistratura. Desde ese cargo dio un claro ejemplo que era posible enriquecerse y enriquecer a sus adláteres. Durante su mandato, «el tiburón» —sobrenombre dado a Gómez— reaparecen dos emblemas de la corrupción y el juego: las riñas de gallos y la lotería nacional.

Importantes sectores de la población se manifestaron disconformes con la situación. En 1912 se produjo el levantamiento del Partido Independiente de Color, una agrupación fundada en 1907 que acusaba a la República de haber traicionado a la población negra. En 1909, el presidente del Senado, un líder negro pero de tendencia moderada, impulsó la aprobación de una ley que prohibía la conformación de partidos políticos a partir de la raza o la religión. Cerrada la vía legal, los negros radicales independentistas se rebelaron en 1912 en la provincia de Oriente. El gobierno de los Estados Unidos, amparado una vez más en la Enmienda Platt, envió a la isla infantes de marina, entendiendo que el pronunciamiento de los negros ponía en peligro la vida y la propiedad de los ciudadanos norteamericanos. Esta actitud colocó en una situación incómoda al presidente Gómez, quien protestó contra la invasión pero también reprimió la sublevación. Como en los tiempos de la colonia, los negros fueron ferozmente castigados con el beneplácito de una población blanca temerosa de las derivaciones que podía adquirir el focalizado levantamiento.

A los cuatro años de estar en el poder el Partido Liberal le sucede, en 1913, el Partido Conservador encabezado por Mario García Menocal, militar que había actuado en las campañas militares desde 1895 a 1898 y hombre de confianza para los Estados Unidos. Ingeniero graduado en la Universidad de Cornell, García Menocal se había destacado como líder militar y como administrador del mayor ingenio de azúcar de la isla, el Chaparra, que formaba parte de la poderosa Cuban American Sugar Co.

García Menocal había anunciado que al finalizar el período presidencial se iba a retirar, pero cambió de idea y se postuló para las elecciones de noviembre de 1916. Los jefes conservadores disidentes se unieron a las facciones liberales para respaldar al candidato opositor, el Dr. Alfredo Zayas. Una vez más se confirmaba que las diferencias partidarias respondían más a aspiraciones individuales que a debates ideológico-doctrinales.

Obtiene su reelección valiéndose de la corrupción, el fraude y el asesinato político de sus opositores. Claramente alineado con los Estados Unidos, declaró la guerra a Alemania inmediatamente después que el presidente norteamericano Woodrow Wilson.

Todavía antes de la Primera Guerra Mundial, el principal inversor de capital extranjero en Cuba no eran los Estados Unidos, sino Gran Bretaña. Durante la presidencia de Gómez, entre 1909 y 1913, los ingleses acaparaban el 54 por ciento del total de las inversiones de capital extranjero, los Estados Unidos un 31, Francia un 10 y Alemania apenas un 0,4 por ciento.

Favorecido por el control directo sobre el aparato del Estado en 1899-1902 y 1906-1909, o por el indirecto a través de la presión diplomática, el capital norteamericano fue ampliando y consolidando su presencia en la industria azucarera y controlando nuevas áreas, como ferrocarriles, empresas de servicios, tabaco y minería.

Al amparo de la renovada legislación dictada por las sucesivas ocupaciones norteamericanas, la apropiación por compra u otros mecanismos de los bienes raíces creció con rapidez. En apenas dos décadas los consorcios norteamericanos pasaron a controlar el 25 por ciento de las mejores tierras agrícolas. Un grupo de trece poderosas compañías eran propietarias de más de un millón doscientas mil hectáreas.

| | Hectáreas |
|---|---|
| Cuban Altantic Sugar Co........ | 284.404 |
| Cuban American Sugar Co..... | 143.862 |
| American Sugar Ref. Co......... | 136.750 |
| United Fruit Company ........... | 109.480 |
| West Indies Sugar Co............ | 109.146 |
| Vertientes-Camagüey Sugar Co. | 106.595 |
| Manatí Sugar Co.................... | 79.252 |
| Francisco Sugar Co. ............. | 71.703 |
| The Cuba Company............... | 68.388 |
| Punta Alegre Sugar Co........... | 46.594 |
| Cuban Trading Co................. | 29.148 |
| Guantánamo Sugar Co .......... | 12.695 |
| Central Soledad...................... | 11.998 |
| Total: 13 principales latifundios azucareros norteamericanos .................................. | 1.209.015 |

Según el informe preparado en 1911 por el cónsul general J. L. Rodgers los bienes norteamericanos se concentraban de la siguiente manera, según los cálculos realizados en dólares:

| | Dólares |
|---|---|
| Molinos de azúcar | 50.000.000 |
| Tierras | 15.000.000 |
| Agricultura | 10.000.000 |
| Ferrocarriles (deducidas las hipotecas) | 25.000.000 |
| Minas | 25.000.000 |
| Marina | 5.000.000 |
| Bancos | 5.000.000 |
| Créditos e hipotecas | 20.000.000 |
| Obras Públicas | 20.000.000 |
| Participación en la deuda pública | 30.000.000 |
| Total | 205.000.000 |

En términos cuantitativos, tanto o más significativo que las actividades que estaban en manos del capital extranjero eran aquéllas dirigidas por las empresas locales. Por eso es importante no perder de vista que mientras crecía el volumen del capital extranjero invertido, también lo hacía el de los propietarios residentes en la isla.

La Primera Guerra Mundial abre para Cuba una etapa de prosperidad y expansión económica. La producción de azúcar pasa de 2.615.000 toneladas en 1914 a 5.189.000 toneladas en 1925. La inversión de capital norteamericano se multiplica por seis en igual período, favorecido entre otras cosas por la crisis de 1920-1921 que acarrea dificultades a los productores locales y es aprovechado por aquél para ampliar su influencia.

El central en tanto industria moderna dotada de los últimos adelantos técnicos se generalizó en Cuba como unidad productiva esencial en las últimas décadas del siglo XIX. Por su parte, los ingenios y los colonos son los que proveían la materia prima para ser procesada por un central, que produce un tipo de azúcar crudo estándar. Como el sistema de plantación de caña se basa en el cultivo extensivo, para atender con eficiencia la demanda del central, la propiedad tiende a concentrarse en detrimento de los pequeños y medianos productores cañeros. Como resultado de la crisis de 1920-1921, provocada por la caída repentina del precio del azúcar, en los años inmediatamente posteriores 18.000 colonos perdieron la tierra, sobre un total de 50.000. Muchos propietarios cubanos de ingenios azucareros tuvieron que transferirlos a nuevos dueños, principalmente extranjeros. No es casual entonces que en 1927 se publique una obra de Ramiro Guerra y Sánchez titulada *Azúcar y población en las Antillas*, que constituía una crítica seria y demoledora al latifundismo.

Antes de la Gran Guerra, el 35 por ciento del azúcar producido se procesaba en los centrales de propiedad norteamericana; en 1920 éstos aumentan su participación hasta ser los responsables del 48,4 por ciento. Este avance lleva a que para 1927 de los 175 molinos existentes 75 estén en manos del capital norteamericanos, 14 sean de administración mixta (cubano-norteamericanas) y unos 10 estén manejados por canadienses.

La diversificación de las inversiones del capital norteamericano será un rasgo de todo el período. Como parte de la expansión de la posguerra, la Electric Bond and Share Company suministra los servicios de agua, gas y energía eléctrica a más de ochenta comunidades, y el ensanchamiento de las actividades se continúa con la fusión de la Havana Electric Light and Power Company. Los tranvías eran administrados por una sociedad cubano-norteamericana. Las comunicaciones telefónicas estaban en manos de la Cuba Telephone Co., empresa subsidiaria de la I.T.T. controlada por J. P. Morgan. En materia ferroviaria existían dos grandes sistemas, uno bajo el tradicional control del capital británico; el otro, tras la crisis de 1920, pasó a la esfera de negocios del National City Bank.

Los empréstitos también fueron numerosos, y muchos de ellos resultaron odiosos para la opinión pública. El primero se firmó en 1904 por el presidente Tomás Estrada Palma, en nombre del gobierno, y Speyer & Co., cuya casa central se encontraba en Nueva York, en nombre de los banqueros, crédito que se amplía en 1909. La banca Morgan entra en escena en 1914 y otorga un segundo empréstito en el marco de la crisis de 1921. A su vez la república de Cuba había emitido varios empréstitos internos en 1905, 1915 y 1917.

En resumen la inversión de capital norteamericano pasó de 205 millones de dólares en 1911 a 1.150 millones de dólares a mediados de la década de los 20. Éstos se distribuían de la siguiente manera:

| | Dólares |
|---|---|
| Industria azucarera....... | 600.000.000 |
| Servicios públicos ........ | 115.000.000 |
| Ferrocarriles ................ | 120.000.000 |
| Minas........................... | 50.000.000 |
| Industria tabaquera ...... | 20.000.000 |
| Hoteles y recreo........... | 15.000.000 |
| Comercio...................... | 30.000.000 |
| Agricultura................... | 25.000.000 |
| Fábricas ....................... | 15.000.000 |
| Edificios y propiedad urbana ...................... | 50.000.000 |
| Deuda pública ............. | 100.000.000 |
| Total........................... | 1.140.000.000 |

Mientras el capital extranjero penetraba en las más diversas actividades, consolidando su presencia e influencia, el movimiento obrero continuaba en proceso de organización y acumulación, situación que lo transformará en un actor decisivo en los sucesos de 1933. Repasamos algunos de sus rasgos característicos en el período.

El primer sector en agremiarse es el de los trabajadores tabacaleros urbanos. A mediados del siglo XIX, después de la industria del azúcar, la tabacalera es la más importante. Ella también experimenta un proceso de tecnificación y concentración, aunque con connotaciones propias. A partir de 1840 los pequeños talleres se van integrando en unidades de mayor envergadura y la mano de obra, integrada por presos y niños asilados, va siendo sustituida por una fuerza de trabajo asalariada, concentrada en un mismo espacio físico y bajo el control de un capataz. En la década de los 60 del siglo XIX existen 516 tabaquerías con 15.128 operarios. De manera análoga se llegan a registrar en ese momento tres cigarrerías con un total de 2.300 empleados.

En 1866 el obrero tabaquero Saturnino Martínez, de origen español, funda en la ciudad de La Habana la Asociación de Tabaqueros, una sociedad de resistencia que se organiza por oficio y que entre sus conquistas exhibe el haber logrado introducir en los talleres el sistema de lecturas colectivas, tanto de noticias como de obras diversas, mientras se realizan las distintas tareas.

La explotación brutal a que eran sometidos los obreros y la concentración de los mismos bajo un mismo techo, en gente que conservaba la memoria de un artesanado libre ahora proletarizado, contribuyó a este crecimiento en la organización obrera. La pervivencia de relaciones esclavistas en las plantaciones de azúcar, el aislamiento y militarización de cada ingenio, explican por qué no es el sector azucarero el primero en sindicalizarse.

Un nuevo avance significativo se registró en 1892 cuando se celebró en La Habana el Congreso Obrero, al que asisten 74 delegados de distintas organizaciones de toda la isla. Allí se acuerda luchar por la jornada de ocho horas de trabajo, apelar a la huelga general como principal arma de lucha y organizar a los trabajadores por oficio o profesión. También se pronunciaron contra la discriminación que sufrían los negros, por su condición de tales en el ámbito laboral. La manifestación a favor de la emancipación del dominio colonial terminó de convencer a las autoridades españolas de la necesidad de clausurar el congreso e iniciar una represión sobre la militancia.

A partir de la independencia se multiplicaron espacial y sectorialmente las agremiaciones de asalariados. A los trabajadores del tabaco se les suman los obreros ferroviarios y marítimos, dos sectores claves del área del transporte de una economía primaria exportadora. Entre 1899 y 1907 se inscriben en el Registro del Gobierno Superior Civil 196 gremios en La Habana, 43 en Matanzas, 4 en Santa Clara y 40 en Oriente.

Desde el punto de vista ideológico, los anarquistas pronto hacen sentir su influencia. A principios del siglo XX pasa por La Habana Enrico Malatesta, a quien el gobernador hace saber que es considerado persona no grata. La literatura libertaria es difundida y obras de Eliseo Reclús y Pedro Kropotkin circulan en la isla a través de las ediciones de la Biblioteca Blanca que dirigía Vicente Blasco Ibáñez en la Península Ibérica. Sin embargo, esta difusión de las ideas anarquistas no llevó a la elaboración de un pensamiento original, como el que se conoce en otros ámbitos de América Latina.

El pensamiento socialista que adhiere a la Segunda Internacional es mucho más débil y el anarcosindicalismo predomina en las organizaciones obreras hasta inicios de la década de los 20. Alfredo López, líder anarcosindicalista de los tipógrafos, se destaca como organizador del Sindicato General de Obreros de la Industria Fabril. Una interesante difusión alcanza el semanario *¡Tierra!*, de orientación anarquista. Colaboran en él libertarios españoles, como Alberto Saavedra y Francisco González Solá, e intelectuales cubanos, como Ferrara y Eusebio A. Hernández. Su combatividad les convirtió en blanco de la represión del gobierno conservador. En 1915 el presidente García Menocal no sólo suprimió periódicos de tendencia ácrata, sino que además expulsó del país a un gran número de anarquistas españoles.

Como consecuencia de la Primera Guerra Mundial y del impacto de la Revolución Rusa se incrementó la agitación social. En 1919 y 1920 la efervescencia era tal que en algunos círculos ácratas «hasta se pensó en hacer la revolución». José González, «el rubio», hombre de unos cincuenta años que provenía de la ciudad de Nueva York, propuso a los anarquistas la adhesión a la Tercera Internacional y lanzó un manifiesto en tal sentido, firmado también por Penichet, Salinas, Rafael y Ricardo García. El anarquismo en Europa se había dividido en torno de la posición a adoptar frente a la Gran Guerra. En Cuba la mayoría tomó partido por la neutralidad, pero la fuerza de atracción ejercida por las transformaciones que se imponían en la tierra de los soviets fue muy grande. El 1 de mayo de 1919 se conmemoró en el Teatro Payret y oradores de todas las tendencias manifestaron su solidaridad con la Gran Revolución Socialista de Octubre y el pueblo ruso.

Para contrarrestar esta situación, un grupo de anarquistas crítico del curso que iban tomando los acontecimientos en la tierra de Lenin ponen en circulación, en 1921, el semanario *Los Tiempos Nuevos*, para denunciar la persecución a los anarquistas en Rusia y el carácter dictatorial del Estado «proletario». Sin embargo, destacadas figuras, como Alfredo López, mantuvieron su adhesión al proceso revolucionario ruso.

Otro hito importante en el desarrollo del movimiento obrero lo constituyó el congreso celebrado en 1925. Con la participación de 160 delegados en representación de 82 organizaciones, a las que se adhieren luego 46 organizaciones más, queda en pie la primera central sindical: la Confederación Nacional Obrera Cubana (CNOC). Se trata de una iniciativa unitaria, orientada en principio por elementos anarcosindicalistas, pero en la que conviven también reformistas y comunistas. Entre los acuerdos tomados figuraba: el principio de reconocimiento de lucha de clases, la acción directa y la no participación en asuntos electorales.

En 1927 se organiza una segunda central, la Federación del Trabajo de Cuba, encabezada por un inmigrante español, Juan Arévalo, que había militado en las filas del PSOE. Esta Federación se afilia a la Federación Panamericana del Trabajo.

El 20 de mayo de 1925, tras ganar las elecciones, asume el general Gerardo Machado la presidencia, y con su persona el Partido Liberal llega una vez más al poder. Opositores como Varona no tardan en caracterizar a la política del régimen machadista en términos de «pretorianismo» y es que el ejército se instala visiblemente en la vida política cubana. Con la excusa de moralizar la administración pública, el dictador asigna a los militares numerosas responsabilidades del orden civil. Convencido de que «la supervisión [por los oficiales] de la administración no es una norma de gobierno sino una necesidad del momento», esto, lejos de implicar, desde su razonamiento, una militarización de la administración pública, es una muestra de «las excelentes cualidades civiles de nuestros oficiales».

Este destacado liberal de Santa Clara, ex carnicero y ladrón de caballos, llegó al gobierno agitando promesas como «acabar con los empréstitos exteriores», frente al festival de bonos y préstamos que se vivía. Esta promesa, como tantas otras, fue finalmente incumplida.

El gobierno de Gerado Machado se va a caracterizar entonces por combinar una férrea represión, la tutela militar en la conducción del Estado y el reparto de cargos públicos a cualquier facción política dispuesto a apoyarlo. La corrupción, la supresión de las libertades, la represión sistemática a sus enemigos, y en especial a la posición obrera y las dificultades económicas fue moneda corriente en su gobierno.

En este contexto, el movimiento estudiantil no tardó demasiado en transformarse en una oposición activa, abierta y, finalmente, violenta contra el gobierno. Constituía un sector muy respetado en la sociedad cubana: sus mártires se remontaban a 1871, cuando fueron ejecutados siete estudiantes universitarios por defender la causa independentista. Cuando llegan a la Universidad de La Habana los ecos de la Reforma Universitaria de 1918, lo apoyaron con entusiasmo.

En 1923, el peruano Raúl Haya de la Torre, presidente de la federación estudiantil del aquel país, visitó La Habana, participando de la apertura de la Universidad Popular. En compañía de integrantes del Directorio Universitario recorrió las instalaciones del periódico universitario *El Universal* y formuló una serie de declaraciones en la línea de lo que irán constituyendo algunos de los puntos básicos del Alianza Popular Revolucionaria Antiimperialista: 1) la idea de la unidad continental, confluyendo el sueño de Bolívar y Martí; 2) el protagonismo de la juventud; 3) la desilusión frente al liberalismo burgués; 4) reivindicación del antiimperialismo; 5) necesidad de la revolución social; 6) unidad obrero-estudiantil como motor de la acción, y 7) acentuación de las virtudes morales de los hombres que aspiran a protagonizar la revolución.

Julio Antonio Mella, el principal dirigente estudiantil cubano, acompañó a Haya de la Torre reivindicando la consigna «¡Proletarios del Universo, uníos y estudiad!». Su formación marxista le lleva a que más adelante escriba un folleto específico, «¿Qué es el APRA?», para rebatir a Haya de la Torre.

Los estudiantes universitarios participaron cotidianamente de la discusión sobre la vida de las altas casas de estudio y se ligan a estudiantes de otras partes de América Latina. En México, José Vasconcelos, secretario de Educación Pública, organiza el Congreso de Estudiantes Universitarios, en el que se hará presente la delegación cubana.

Pero también asumen los problemas centrales del país: el 14 de julio de 1925, en homenaje a la toma de la Bastilla, organizaron una concentración que sirvió para motorizar la Liga Antiimperialista de Cuba. Paradójicamente, de la reunión fundacional de la misma no se han conservado documentos escritos por los protagonistas, pero un detallado informe de la policía secreta da cuenta del mismo. El informe señala a Julio Antonio Mella como el principal organizador, quien sostiene que el principal objetivo de la Liga es luchar contra el imperialismo yanqui. Siempre según el citado informe, Mella subrayó los efectos negativos de la Enmienda Platt, pues su existencia era una demostración de la carencia de soberanía del pueblo cubano. El programa de la Liga antiimperialista debía contemplar el combate contra Wall Street y «la formación de un poder económico que sea netamente nacionalistas para mejorar la situación de Cuba e independizarse del poder del capital del extranjero».

Por tanto, el objetivo del movimiento estudiantil no estaba acotado a una reforma administrativa de los claustros universitarios, sino que se proyectaba extramuros y reclamaba alumbrar una «nueva Cuba», en la que haya desaparecido la corrupción política y la tutela de los Estados Unidos.

El espíritu de entrega y sacrificio que estos jóvenes transmitían, queda grabado en el imaginario colectivo, tal como cuando Julio Antonio Mella fue detenido e inició en la cárcel una huelga de hambre que tuvo una enorme repercusión. Hasta la prensa conservadora tuvo que pedir por la vida del dirigente estudiantil; este gesto heroico terminó por colocarlo en el centro de la escena y convertirlo en una referencia que por valentía e integridad alcanzaron una dimensión casi mítica.

Otros sectores también fueron adoptando un programa antiimperialista y de ampliación de derechos, como la Asociación de Veteranos y Patriotas, cuyos lineamientos fundamentales apuntaban a la «reconstrucción nacional», a la derogación de la Enmienda Platt, el sufragio para las mujeres y la participación de los trabajadores en las empresas comerciales.

El momento era de efervescencia ideológica y política: un grupo de intelectuales publica la «Protesta de los Trece», un documento en el que se denuncia, más que la corrupción de uno u otro gobierno, la totalidad del sistema político.

En 1925 se fundó el Partido Comunista Cubano, que cuenta entre sus filas con Carlos Baliño, Julio Antonio Mella y varios ex anarquistas. Aunque con menor fuerza, los apristas cubanos también se mostraron activos, y en el periódico *Atuey* publican en 1927 un programa con nueve puntos, entre los que se incluye la «solidaridad con todas las clases oprimidas del mundo» y el antiimperialismo.

Comunistas y apristas interpretan de manera distinta la naturaleza del imperialismo y las armas a las que hay que apelar para combatirlo; los caminos que siguen serán divergentes y el folleto «Contra el APRA», escrito por Mella, deja documentadas las diferencias.

Profesionales y sectores de clase media, encabezados por el abogado Joaquín Martínez Sáenz, alumbran el ABC, organización secreta que se opuso a Machado, contemplando el uso de métodos violentos.

El arco político opositor al gobierno es amplio, y esta actitud se paga muchas veces con la propia vida. En la primera línea de fuego se encuentra el Directorio Estudiantil Revolucionario, que perdió a uno de sus integrantes, Rafael Trejo, por las balas de la policía; pero también otras organizaciones como la Unión Nacionalista son alcanzadas por la represión. El capitán Arturo del Pino cayó bajo las balas de un centenar de policías, no sin antes resistir durante varias horas.

Nada de esto impide que en 1928 el Congreso apruebe una ley de emergencia que sólo permite a los partidos Liberal, Conservador y Popular postular candidatos a presidentes. A la sazón, éstos se pronuncian por la figura de Machado, que consigue en 1928 ser reelegido sin oposición para ejercer un mandato de seis años, tal como lo había aprobado una asamblea constitucional en 1927, con la excusa de evitar las reelecciones.

Sin embargo, a partir de 1928 nuevas dificultades económicas, sociales y políticas se le presentan al gobierno de Machado. Los precios internacionales del azúcar comienzan a caer y como consecuencia de la crisis de los 30 también desciende el volumen de producción.

En 1929, Cuba había decretado la suspensión de la restricción de la zafra y Wall Street se convertía en el epicentro del inicio de una crisis del capitalismo que adquiriría dimensiones mundiales. Los hacendados cubanos, bajo el auspicio del gobierno, organizaron la Agencia Cooperativa Exportadora de Azúcar con el objetivo de comercializar los excedentes de la zafra de 1929, así como la producción de 1930. Los banqueros de Nueva York comunican a las compañías azucareras que restringirán el crédito hasta tanto se despejen las incertidumbres que se han adueñado del mercado. El abogado norteamericano T. L. Chadbourne elabora un plan de estabilización del precio del azúcar. Se propone entonces abandonar el *laissez faire* y establecer un acuerdo con los distintos países abastecedores de azúcar del mercado norteamericano y fijar para cada uno de ellos una cuota; para el caso de Cuba ésta es de 2.800.000 toneladas.

De acuerdo con el Plan Chadbourne, Cuba pasó a limitar su producción, obteniendo una zafra en 1931 de 3.120.000 toneladas, cifra sensiblemente inferior a los más de cinco millones registrados en 1929. Sin embargo, los precios continuaban fluctuando a la baja: en 1931 fue 1,37 centavos por libra, al año siguiente 0,87 centavos, y 1,13 centavos en 1933.

En 1932 se pone en funcionamiento el Instituto Cubano de Estabilización del Azúcar (ICEA), concebido como un organismo autónomo integrado por delegados del gobierno y representantes de la Asociación de Hacendados y Colonos; a partir de 1936 pasa a concentrar todos los instrumentos diseñados para regir la industria azucarera.

La lucha del movimiento obrero y la crisis económica deviene en crisis social y agudiza los enfrentamientos políticos. Los estudiantes se convierten en referentes de la lucha antidictatorial. El uso de la violencia se generaliza en los grupos opositores.

En 1924 se crea la Federación de Grupos Anarquistas de Cuba y se acuerda publicar un periódico recuperando el nombre de un antecedente prestigioso: *¡Tierra!*. El ascenso de Machado, que parece haber contado con las expectativas favorables de una porción de la población, encuentra en las páginas de *¡Tierra!* una cerrada crítica a su dictadura. En un editorial se toma distancia de Machado, pero esto no deja de percibirse como un alejamiento de los sectores populares: «Vamos con la plebe, con las masas; pero cuando ellas siguen a un tirano, entonces vamos solos, con los ojos altivos, clavados en la aurora luminosa del ideal.»

Machado designa como secretario de Gobernación al comandante Zayas Bazán, que comenzó por deportar un número considerable de prostitutas extranjeras. También se dedicó a perseguir al movimiento obrero de ideas avanzadas. Se interesó por la prensa obrera y visitó varios locales sindicales; en una ocasión fue recibido en la Federación Obrera de La Habana por Alfredo López, quien reivindicó la «lucha de clases» y subrayó que la finalidad del movimiento obrero organizado era «emancipar al trabajador». Un año más tarde era asesinado por los esbirros de Zayas Bazán.

El Sindicato de la Industria Fabril fue otro de los ámbitos a los que Zayas Bazán dirigió su acción represiva. Tras un conflicto prolongado entre una empresa y los trabajadores cerveceros, en un confuso episodio se produce al menos un muerto por envenenamiento tras ingerir cerveza. Detenciones, deportaciones e incluso un suicidio fue el saldo de aquel golpe contra una de las organizaciones obreras más combativas de la isla.

El régimen también apeló al asesinato político para reprimir la ascendente combatividad del movimiento obrero. El líder de los ferroviarios de Camagüey fue muerto a tiros cuando salía del cine junto a su esposa e hijos, y los periodistas Armando André y Bartolomé Sagaro siguieron la misma suerte. Las cárceles se llenaban de militantes sindicales.

A pesar de este clima de amedrentamiento, en diciembre de 1932 se celebra, en Las Villas, la Primera Conferencia Nacional de Obreros de la Industria Azucarera, con la participación de delegados de treinta y dos ingenios. El flamante sindicato SNOIA aprueba un pliego de reivindicaciones y lanza un importante movimiento huelguístico en los ingenios durante la zafra de 1933. Se ha puesto en pie una organización de alcance nacional en el estratégico sector de la economía. Pero la crisis ha provocado una sensible disminución en la producción azucarera, tornando la zafra de 1933 en la más pobre de los últimos veinte años. El consiguiente crecimiento de la desocupación facilita a las empresas imponer condiciones de trabajo de mayor explotación y una sensible disminución de los salarios. El gobierno dictatorial de Machado, que promovía todo tipo de políticas antiobreras, coloca el aparato estatal al servicio de la ofensiva patronal, pero el descontento generado por la crisis impulsa a amplios sectores de la sociedad a plegarse a una oposición cada vez más movilizada. Por su parte, el gobierno de los Estados Unidos, interpretando lo grave de la situación, designa a Sumner Welles como nuevo embajador en La Habana, con la expectativa de negociar el alejamiento de Machado de la presidencia y la conformación, de un nuevo gobierno que reconduzca el descontento social por carriles que no pongan en cuestión el sistema en sí.

*Incendios y saqueos durante la revuelta de 1933 en La Habana.*

En el medio de la crisis que está experimentando el capitalismo, se pretende descargar sobre los trabajadores los costes de la misma: la retribución de la fuerza de trabajo desciende sensiblemente, se eleva el número de desocupados y se agrava la miseria de los sectores más explotados. A pesar de la crisis, los sindicatos y la CNOC están en un proceso de recomposición, lo que permite enfrentar con organización y conciencia las adversas condiciones objetivas. Frente a la combatividad que vuelve a ir perfilando la CNOC, Machado se decide por ilegalizarla. La excusa es la adhesión de la CNOC a la Confederación Sindical Latinoamericana (CSLA) que declara al 20 de marzo de 1930 como una jornada de lucha por las demandas de los desocupados en América Latina.

A pesar de la amenaza represiva de Machado, la huelga general se lleva adelante en demanda de: la derogación del decreto que ilegaliza a la CNOC, la libertad de los obreros presos, el cese de los allanamientos policiales a los sindicatos, el otorgamiento de subsidios o empleo para los desocupados, a lo que se suma la exhortación a acabar con la tiranía machadista.

La huelga general irrumpe como un elemento disruptor. En 1930 se abre una etapa que culmina en 1933, signada por el movimiento obrero como uno de los protagonistas principales de la lucha por el derrocamiento de Machado.

En efecto, la huelga de agosto de 1933 comienza por el sector del transporte urbano: tranvías y autobuses. Desde la clandestinidad, la Federación Obrera local de La Habana convoca a sumarse a la medida de protesta y nombra un comité para dirigir la huelga. Al movimiento se fueron plegando nuevos sectores y la paralización terminó por ser significativa en el comercio, los bancos y la industria. El capitalismo y el ascenso del movimiento huelguístico de inicios de los años 30 dejan planteado un nuevo y contradictorio escenario. Los trabajadores se han manifestado como una fuerza revolucionaria que, junto con otros sectores sociales, logran incluso derrocar al gobierno de Machado. Sin embargo, el nivel de organización y de conciencia alcanzado no son suficientes para destruir la fuerza del omnipresente imperialismo en la isla. Por su parte, la burguesía y el capital extranjero se ven obligados a otorgar concesiones a los efectos de evitar la quiebra del orden social.

El 12 de agosto de 1933 el ejército pide la renuncia de Machado. El embajador Benjamín Sumner Welles cumple con las indicaciones del presidente Franklin Roosevelt de operar como mediador entre el gobierno y la oposición. El Directorio Estudiantil no se suma a esas negociaciones, pues asimilan la figura del embajador extraordinario a la de un nuevo «procónsul del imperialismo yanqui». Tampoco los comunistas participan del diálogo, pero porque habían sido excluidos.

El 4 de septiembre, los estudiantes y los sargentos convocan a los trabajadores para suprimir a la vieja oficialidad, desafiar a los norteamericanos y proclamar un gobierno, que en un primer momento quedó integrado por cinco miembros. A la semana, la Pentarquía se disolvió: uno de sus miembros, el doctor Ramón Grau San Martín, asumió la presidencia provisional, contando con Antonio Guiteras como secretario de Gobernación. Este binomio contaba con el apoyo del Directorio Estudiantil y del ejército, ya en manos de Batista.

Grau San Martín adoptó como consigna «Cuba para los cubanos» y sancionó la Ley del 50 por ciento, para obligar a las empresas radicadas en la isla a integrar sus plantillas con la mitad al menos de ciudadanos cubanos. Ésta es una medida que afectaba fundamentalmente al flujo de mano de obra antillana, a la que se apelaba para garantizar una disponibilidad importante de brazos a un costo muy bajo.

El Departamento de Estado no reconoce a este gobierno. Los comunistas, siguiendo la línea del tercer período de la III Internacional, lo atacan por considerarlo «lacayo del imperialismo yanqui». Hostigado por la derecha y por la izquierda, el 15 de enero de 1934 Batista exige la dimisión de Grau San Martín. Los principales líderes del gobierno deben partir al exilio, mientras asume la primera magistratura Carlos Mendieta. En estas condiciones, Estados Unidos reconoce al nuevo gobierno y abroga la Enmienda Platt.

Estos últimos diez años de agitación y movilización, que dejan como saldo la derogación de la Enmienda Platt, renovaron y reforzaron un fuerte sentimiento nacionalista que se reinterpreta desde distintas perspectivas sociales e ideológicas. Incluso Machado y su gobierno se vieron impelidos a hacer gala de un nacionalismo que incluía moderadas reformas económicas y garantías plenas de subordinación al imperialismo. Carlos Mendieta y la Unión Nacionalista, desde una postura antigubernamental pero con una ligazón fuerte hacia sectores de *establishment*, representan un matiz de la versión anterior. La tendencia comunista del período con su creciente inserción en el movimiento sindical alumbra un nacionalismo clasista, activo y radicalizado. Los estudiantes e importantes figuras del campo intelectual alimentan una vertiente antiimperialista consecuentemente asumida.

La crisis mundial capitalista no fue menos determinante en lo económico para Cuba en el período 1929-1933, pero ésta también devino en crisis política al ponerse en jaque el sistema de dominación. Las huelgas obreras, el activismo estudiantil, la resistencia armada y la formación de nuevas organizaciones antimachadistas se desplegaron como un gran frente opositor, cubriendo un espectro que abarcaba desde figuras conservadoras, como Mendieta y Menocal, hasta la trotskysta Oposición Comunista de Izquierda. En el afán de generar un nuevo equilibrio de poder, que resguarde los intereses norteamericanos en la isla, el presidente Roosevelt se encuentra satisfecho con la labor de su embajador extraordinario, Sumner Welles.

Tal vez quien mejor describe cuál era el grado de profundidad de la crisis y las alternativas planteadas a ésta, sea el dirigente comunista Rubén Martínez Villena: «mientras el imperialismo explotador —afirma— intenta hallar una salida capitalista a la crisis, las masas explotadas y oprimidas, dirigidas por el partido del proletariado, intentan hallar a esa crisis una salida revolucionaria». Aislado el proletariado del potencial cuestionador de otros estratos sociales como la burguesía nacional, los colonos y la pequeña burguesía antiimperialista, la crisis en esta oportunidad se resolverá en favor del imperialismo y de su aliado local: Fulgencio Batista.

En 1933 el Directorio Estudiantil Universitario fija una posición de principios frente a la mediación del embajador de los Estados Unidos y la Enmienda Platt.

«El Directorio Estudiantil Universitario, al igual que los demás sectores de la oposición, fue oportunamente invitado por el señor embajador de los Estados Unidos, Hon. Sumner Welles, a participar en las conferencias que se están celebrando tendentes a buscar una solución al actual problema político cubano y en las cuales actúa como mediador el propio embajador de los Estados Unidos.

Este Directorio, desde el primer momento, se dio a la tarea de estudiar concienzudamente el problema en todos sus aspectos, teniendo en cuenta por una parte el angustioso instante político que vive nuestro país, y por otra el deber en que estamos, como cubanos, de velar por la integridad de nuestra soberanía, rechazando cualquier fórmula que pudiera en algún modo menoscabarla.

Estudiado debidamente el problema, teniendo en cuenta los antecedentes históricos en las relaciones entre Cuba y los Estados Unidos, considerando el carácter de la mediación que nos ofrece el señor embajador y su condición de representante del gobierno norteamericano, hemos acordado declinar cortésmente la invitación del señor Sumner Welles a tomar parte en las antedichas conferencias.

Entendemos los estudiantes que la mediación propuesta por el señor embajador de los Estados Unidos supone tácitamente una intervención y está respaldada por la fuerza coercitiva del gobierno estadounidense, pues sólo en este caso dicha mediación sería virtualmente eficaz para conseguir el fin que se propone. Esta mediación, pues, menoscaba el derecho que tiene el pueblo cubano a determinarse por sí propio y tiende a inculcar en el pueblo, una vez más, que nuestras dificultades internas sólo pueden resolverse con la colaboración del extranjero.

No pretendemos desconocer que la Enmienda Platt, un tratado bilateral que no obliga más que a una de las partes, la más débil, concede al gobierno norteamericano el derecho a inmiscuirse en nuestros problemas internos; pero no es menos cierto que la aceptación de ese tratado fue impuesta al pueblo de Cuba como condición indispensable para el reconocimiento de su independencia. Que los constituyentes de 1901 prefirieran una república hipotecada a no tener república no nos impide a nosotros rebelarnos contra esa negación de nuestra soberanía y contra todo acto que en esa negación se fundamente. Si nuestra lucha del mañana ha de contar entre sus capitales objetivos la anulación de ese tratado, sería inmoral por nuestra parte escudarnos ahora en él para obtener la solución momentánea de un problema inmediato (...)».

## Capítulo 6

# DE LA REVOLUCIÓN DE 1933 A LA PRESIDENCIA DE BATISTA

Como vimos, la Revolución de 1933 tuvo como trasfondo una crisis económica, social y política. Enmarcada por una ola ascendente de huelgas obreras y de gran agitación de las capas medias, son justamente el estudiantado universitario y los intelectuales quienes dan origen a nuevas formaciones políticas, como el Partido Aprista Cubano (PAC), el Partido Revolucionario Cubano-Auténtico y la Joven Cuba.

El Partido Aprista Cubano se creó durante el gobierno de Céspedes, inmediatamente después de la caída de Machado. Sus documentos principales, «Declaración y principios» y «El aprismo ante la realidad cubana», fueron prologados por el prestigioso político Enrique José Varona. Se definen partidarios de la vía legal para la toma del poder, tienen expectativas positivas en «la política del buen vecino» y consideran a la clase media como «el elemento técnico indispensable para la obra de reconstrucción que todo movimiento revolucionario tiene que desarrollar». Siguiendo el ideario del APRA de otras latitudes, su consigna central es: «¡Cubanicemos a Cuba!»

El terreno de las actividades del PAC no fue muy importante; sin embargo, incidieron recuperando iniciativas como las Universidades Populares «José Martí» en 1933 y crearon una organización nacional como la Federación Aprista Estudiantil. A finales de 1937 se fusionaron con el PRC.

Los apristas critican a los comunistas y éstos, al igual que anarquistas, trotskystas, socialistas y reformistas critican al APRA, al que acusan de ser «los agentes de los explotadores en el seno del movimiento obrero».

Antonio Guiteras fue el elemento más radicalizado del gobierno de Grau y contaba con el apoyo de los estudiantes y de los intelectuales revolucionarios. Inició las leyes sociales, promovió la creación de la marina mercante y, para contrabalancear el poder de Batista, propuso crear una infantería de marina. Después de su breve paso por el gobierno de Grau San Martín, consideraba necesario la organización de una agrupación política que permitiera un reagrupamiento orgánico de las fuerzas, cohesionado por la unidad ideológica y capaz de poder desplegar un plan de gobierno, en caso de que se acceda a éste.

Guiteras declara que se encuentra en la oposición y que su lucha es «por el restablecimiento de un Gobierno donde los derechos de los obreros y campesinos estén por encima de los deseos de lucro de los capitalistas nacionales y extranjeros». En 1934 forma los grupos de acción TNT y luego organiza la «Joven Cuba». En su programa se identifica a Cuba como un país colonial explotado por el capital extranjero. La estructura económica, al servicio del capital y antagónica a los intereses de la sociedad, debe dar paso al Estado socialista. Pero a éste no se arriba mediante un solo golpe, sino que se requiere ir superando distintas etapas. En la primera deben estar representadas en el gobierno nacional y municipal las tres fuerzas productoras: la riqueza, la intelectualidad y el trabajo. La parte económica del programa reproduce las fórmulas instauradas por la Revolución Mexicana de nacionalización de la tierra y del subsuelo, prohibición de los latifundios improductivos y expropiación de las industrias que no aseguren a los trabajadores las condiciones de vida establecidas por la legislación vigente.

Guiteras considera que en Cuba están dadas las condiciones para una revolución y se propone contribuir en esa dirección. Según Justo Muriel, los libertarios que se adhirieron a esta nueva organización sostenían que Guiteras siempre llevaba consigo un libro editado en España con el título «La Verdadera Revolución Social», integrado por escritos de Sebastián Faure, Volin y Archinof. Se trata de un texto en el que se analizaban las dos grandes revoluciones del mundo contemporáneo, la francesa de 1789 y la rusa de 1917, desde una óptica anarquista.

Los hombres de Batista en un enfrentamiento armado mataron en las cercanías de Matanzas a Guiteras y sus compañeros. Su nombre queda asociado a una conducta honesta y consecuente; cayó convencido de que cerrada la vía legal la resistencia debía ser armada.

En 1934 Grau San Martín funda el Partido Revolucionario Cubano-Auténtico. Postulaba una renovación económica y política de un país cuya economía se interpreta sometida a los designios del dominio extranjero. Llega incluso al extremo de afirmar que «la clase de los hacendados y la capa de los colonos libres han sido liquidadas». A diferencia de la Joven Cuba, no pretende impulsar una política confiscatoria, la cual es calificada de «demagógica», y en cambio busca el entendimiento y la armonía entre el capital y el trabajo. En síntesis, el PRC busca representar los intereses de la burguesía y los hacendados, pero sin descuidar el mejoramiento de las condiciones de vida de los trabajadores.

Por su parte, el movimiento obrero prosigue su proceso de organización. En diciembre de 1933 se reúne el IV Congreso de Unidad Sindical. En la sesión inaugural interviene Blas Roca, que saluda a los trabajadores en nombre del PC. Como secretario general fue elegido César Vilar, y Lázaro Peña se integró en el Comité ejecutivo de la organización obrera, en representación del Sindicato de torcedores de La Habana. Se acuerda la adhesión a la Confederación Sindical de Latinoamericana (CSLA) que estaba dominada por los comunistas.

El 1 de mayo de 1934, fecha emblemática de los trabajadores del mundo, es conmemorado con un desfile que, a pesar de contar con la autorización gubernamental, fue atacado, dejando como saldo trágico tres muertos y treinta heridos entre los participantes.

En octubre de 1934 el PC de Cuba convoca a una huelga general en solidaridad con los obreros telefónicos y portuarios que se encontraban desde hacía un tiempo en conflicto; al pliego de reivindicaciones se suma el seguro de desempleo y la derogación del tratado de reciprocidad firmado con el gobierno de los Estados Unidos para consolidar el bloque de fuerzas conservadoras. La huelga estuvo lejos de adquirir la magnitud que se pretendía. Sin embargo, resultó un antecedente organizativo para la nueva huelga general que estallaría el 7 de marzo y se sostuvo durante casi una semana en 1935, logrando una adhesión creciente a partir de una sucesión de huelgas parciales de los estudiantes, maestros y profesores y en el sector azucarero.

Desde el año anterior el gobierno contaba con el decreto-ley n.º 3, que prácticamente suprimía el derecho de huelga, y de otros recursos legislativos igualmente coercitivos, como el decreto autorizando la expulsión sumaria de los obreros extranjeros; se prohibía también la organización sindical de los empleados públicos y otras medidas represivas de similar tenor.

La huelga general de 1935 fue aplastada por Batista, que aprovechó la ocasión para imponer una ola de terror, no sólo ilegalizando los sindicatos y los partidos de izquierda, sino decretando el estado de guerra y reinstalando la pena de muerte. El ejército ocupó las universidades, se cerraron las escuelas secundarias, se despidió a empleados y profesores y encarceló a más de 3.000 personas. La prensa fue censurada y los derechos civiles, obviamente, suspendidos.

Para mediados de la década de los 30, la Joven Cuba, el PRC y el PC, ahora bajo la inspiración de la nueva línea fijada por el Congreso de la Internacional Comunista, la de los Frentes Populares, plantean como objetivo una revolución antiimperialista, democrática y nacional, por la vía armada.

Desde 1936 el movimiento obrero busca reconstituirse y los comunistas organizaron actividades de solidaridad con la República Española. Más de mil cubanos cruzaron el Atlántico para empuñar las armas de los antifascistas y en 1938, tras la nacionalización del petróleo por el presidente Lázaro Cárdenas, se promovió también la creación de Comités de Amigos del Pueblo Mexicano.

En 1938 se celebra en México el congreso constitutivo de la Confederación de Trabajadores de América Latina (CTAL). Por Cuba participó una delegación integrada por comunistas como Lázaro Peña, de la Federación Nacional Tabacalera, y reformistas como Juan Arévalo, máximo dirigente de la Federación Obrera Marítima Nacional. Allí la nutrida pero fragmentada presencia cubana asumió el compromiso de constituir una central única. Al año siguiente, con la presencia de 1.500 delegados en representación de 645.000 trabajadores, se pone en pie la Confederación de Trabajadores de Cuba (CTC), proclamando como secretario general a Lázaro Peña y secretario de organización a Juan Arévalo. Al margen permaneció la organización obrera del PRC (auténtico). En 1939 paralelamente se constituyó la Federación Nacional Obrera Cubana, presidida por Antonio Oviedo, un sindicalista de tendencia reformista, secundado por Jesús Menéndez, de extracción comunista.

En 1937, el sistema político cubano tenía tres vértices: Batista, el PRC y el PC. Ante la inminencia de una nueva guerra mundial, comienza en Cuba una apertura política que devuelve la legalidad a los partidos políticos. Se fijó en el calendario electoral la convocatoria para la reunión de una Asamblea Constituyente, y de la misma participa todo el arco político, incluso el Partido Unión Revolucionaria, que tributa al movimiento comunista y que obtiene 98.000 votos, correspondiéndole seis convencionales constituyentes. La mayoría de los convencionales pertenecen al PRC (auténtico).

La Constitución estaba dotada de un contenido moderno, liberal en lo político, e incluía cláusulas garantizadoras con tinte social. El extenso artículo cinco se detiene en señalar cuáles son los símbolos nacionales y en particular los usos a los que se autoriza la enseña patria: «La bandera de la República es la de Narciso López, que se izó en la fortaleza del Morro de La Habana el día 20 de mayo de 1902, al transmitirse los poderes públicos al pueblo de Cuba.»

En el párrafo segundo se afirma que: «En los edificios, fortalezas y dependencias públicas y en los actos oficiales, no se izará más bandera que la nacional, salvo las extranjeras en los casos y en la forma permitidos por el protocolo y por los usos internacionales, los tratados y las leyes. Por excepción, podrá enarbolarse en la ciudad de Bayamo, declarada monumento nacional, la bandera de Carlos Manuel de Céspedes.» Sin embargo, algunos renglones más adelante se dice: «No obstante lo dispuesto en el párrafo segundo, se autoriza a que en los cuarteles se icen las banderas pertenecientes a las Fuerzas Armadas.»

En materia de familia se admite el divorcio: «El matrimonio puede disolverse por acuerdo de los cónyuges o a petición de cualquiera de los dos por las causas y en la forma establecida en la Ley.»

El artículo 53 reconoce la autonomía de la Universidad de La Habana y el Estado reconoce la obligación de sostener mediante el presupuesto nacional dicha casa de estudios.

La Sección Primera del Título VI está dedicada al trabajo. El artículo 60 asume la filosofía del pleno empleo: «El Estado empleará los recursos que estén a su alcance para proporcionar ocupación a todo el que carezca de ella...». Se fija también el salario mínimo en pesos: «Queda totalmente prohibido el pago en vales, fichas, mercancías o cualquier otro signo representativo con que se pretenda sustituir la moneda de curso legal.» La jornada de trabajo queda fijada en ocho horas como máximo y prohibido el empleo de menores de catorce años. Corresponde un mes de descanso pagado por cada once meses trabajados. Se reconoce el derecho a la huelga y a la sindicalización.

Aunque el artículo 87 reconoce la existencia y la legitimidad de la propiedad privada, el artículo 90 fija que: «Se proscribe el latifundio y a los efectos de su desaparición la Ley señalará el máximo de extensión de la propiedad que cada persona o entidad pueda poseer para cada tipo de explotación a que la tierra se dedique y tomando en cuenta las respectivas peculiaridades. La Ley limitará restrictivamente la adquisición y posesión de la tierra por personas y compañías extranjeras y adoptará medidas que tiendan a revertir la tierra al cubano.»

Esta nueva relación de fuerzas se encarna en los aspectos reformistas de la nueva Constitución, que finalmente se sanciona en 1940.

A los efectos de poder fijar una posición frente al nuevo texto constitucional, la Asociación Nacional de Hacendados solicita a sus integrantes que hagan llegar sus críticas y comentarios. El abogado de la UFC, Rabel Díaz Balart, remite su análisis exponiendo artículo por artículo lo que considera constituyen los aspectos adversos para el desenvolvimiento de la industria azucarera. Del artículo que fija la jornada de trabajo en un máximo de ocho horas diarias, afirma: «Yo recomendaría se solicitara la derogación como precepto constitucional, por lo menos con carácter obligatorio», pues para este abogado y notario establecer la semana laboral de cuarenta y cuatro horas «es casi impracticable». Recomienda también suprimir el derecho de huelga y de paro incluido en el art. 71 y suprimir como norma constitucional la obligatoriedad del sistema de contratos colectivos de trabajo (art. 72).

Sancionada la nueva Constitución, fue elegido presidente Fulgencio Batista. Su gabinete se integró con dos miembros del PC: Juan Marinello y Carlos Rafael Rodríguez. Los comunistas a su vez controlaban la Confederación Nacional del Trabajo.

En julio de 1941 se realizó en La Habana la Segunda Reunión de Ministros de Relaciones Exteriores de las Repúblicas Americanas; allí se sostuvo que la agresión contra la soberanía de cualquier estado americano equivalía a una agresión al conjunto del continente. El día 9 de diciembre, dos después del bombardeo del Eje a la base norteamericana de Pearl Harbour, Cuba le declara la guerra al Imperio japonés. El 11 del mismo mes la declaración de guerra se hace extensiva a Italia y Alemania. Cuba fue así una de las

*Fulgencio Batista.*

primeras naciones del continente en seguir los pasos de los Estados Unidos en su enfrentamiento con las potencias del Eje.

La revista *En Guardia para la defensa de las Américas*, en el n.º 1 de su segundo año, con el título «Cuba. Proveedora de pertrechos de guerra», informa que: «Sus terrenos agrícolas suministran montañas de azúcar para la provisión de víveres de las Naciones Unidas. Sus minas producen manganeso para endurecer los blindajes de los tanques y acorazados. Sus fuerzas armadas están haciendo una ciudadela para la guerra contra los filibusteros nazistas.» Cuba ha ingresado en la guerra con la «solvencia económica lograda bajo la dirección del presidente Batista, quien en nueve años de labor *(sic)* ha construido centenares de escuelas», hospitales, programa para la mejora de las condiciones de los campesinos pobres, etc.

«La República de Cuba tiene en su presidente Fulgencio Batista uno de los mayores sostenedores de su progreso». Tal el epígrafe de la foto que ilustra la nota.

El gobierno de Batista parece rodearse de un aire progresista. Se anuncia un Plan Trienal y se abrió una embajada soviética en la isla. En noviembre se conmemora el 26 aniversario de la Revolución Rusa y del Ejército Rojo. Al acto asisten altos funcionarios del gobierno cubano, destacados miembros del cuerpo diplomático y Dimitri I. Zaikin, encargado de negocios de la URSS. Es la primera vez que públicamente se produce un evento de estas características.

Minutos antes de que el ministro de Estado diera por concluido el acto, Dimitri Zaikin transmite visiblemente emocionado que: «la madre de las ciudades rusas, nuestra Kiev, ha sido ya liberada por el heroico Ejército Rojo, de los bandidos hitlerianos».

La restricción de la zafra llevó a que entre 1934 y 1941 la producción azucarera oscilara entre 2.500.000 y 3.000.000 de toneladas. Al quedar bloqueado el aumento del volumen de producción como fuente para el incremento de las ganancias, las compañías se vieron obligadas a reducir los costes de producción o, en caso contrario, a quedar relegadas por la competencia.

Las condiciones creadas por la generalización del conflicto bélico a partir de 1941 repercuten de manera positiva sobre la industria azucarera cubana, que comienza a vivir un proceso de marcada reactivación. En 1942 la producción llegó a 3.345.000 toneladas, pero el precio se fijó en 2,61 centavos por libra, por medio de un convenio con Estados Unidos. A partir de 1944 se volvió a abandonar la restricción de la zafra y en 1947 ésta alcanza la cifra récord de 5.677.000 de toneladas, que se cotizó a un precio de 4,97 centavos la libra.

La presión permanente de los trabajadores organizados en los sindicatos llevó a importantes conquistas en la década de 1940. Los salarios se elevan por encima del costo de los alimentos y para 1952 los mismos, en términos nominales, eran el triple que los de 1937.

En 1944 las elecciones las gana el PRC con Grau San Martín como candidato, en contra de Saladrigas, el candidato de Batista, que había oficiado de primer ministro durante su presidencia.

A los mambises que habían integrado las tropas del ejército patriota que combatió en la guerra de Independencia (1895-1898), se les entrega tierras realengas que ocupan con sus familias, incluido el Realengo18. Estas tierras serán materia de conflicto permanente. En 1934 y 1935 se produce una ofensiva de desalojos rurales. Los campesinos que ocupaban el Realengo 18 logran resistir con éxito. El triunfo de su lucha contra los hacendados se debe a que combinan la lucha legal, la resistencia armada y la articulación militante con el movimiento obrero.

*Solidaridad de los campesinos hacia los obreros*

«Los campesinos del Realengo 18 y Colindantes nos hacemos solidarios de todos los movimientos de Huelga Revolucionaria y que por sus justas demandas enrolan los compañeros de los centrales Almeyda, Ermita, Soledad, Isabel, etc., así como de todas las demandas democráticas y económicas de todas las clases laboriosas del país, como son la libertad de la palabra, imprenta, reunión y la reapertura de todos los centros obreros y sindicatos clausurados».

(Manifiesto transcrito en el Boletín n.º 6 del Realengo 18, 22 de octubre de 1934.)

*La revolución agraria a la orden del día*

«Los realenguistas no están armados ni en grado ni en la extensión que se ha dicho, pero sí lo suficiente para defenderse, ya que debe conocerse de una vez que en aquellos montes ningún disparo vale después de veinte metros de recorrido [.....]. ¡Y esto, en el caso más afortunado! Mas no es ésta, realmente, la más recia defensa de los campesino del Realengo. Su más firme defensa está en que son mucho más de cinco mil familias las que «poseen» hoy tierras del Estado por todos aquellos montes.

Entre Guantánamo, Mayari, Sagua de Tanamo y Baracoa hay zonas inmensas de tierras realengas, habitadas y cultivadas por los montunos, los que se dan cuenta perfecta de que un desalojo de los vecinos del Realengo 18 entraña, a plazo más o menos breve, un análogo fin para ellos. Y ya ¡hoy! toda aquella gente está dispuesta a prestar su apoyo a los hombres del Realengo 18, pero no su apoyo moral, más o menos literario, sus emboscadas y sus muertos. Un ataque al Realengo 18 es ya ¡hoy! la revolución agraria en las montañas de Oriente. Quién se atreve a provocarla. El propio capitalismo latifundista al llegar el momento crítico vacila, consciente del peligro. Porque la revolución agraria es un torrente que baja de las montañas y que no se sabe con cuánto va a arrasar.

(*De la Torriente Brau, Pablo, Realengo 18,* Nuevo Mundo, La Habana, *p. 114.)*

# Capítulo 7

## LAS PRESIDENCIAS DE LOS AUTÉNTICOS. GRAU SAN MARTÍN Y PRÍO SOCORRÁS

En 1944, Grau San Martín retorna a la presidencia de Cuba de la mano del PRC-Auténtico que él había fundado. Apenas toma posesión, un huracán azota la isla; en el orden internacional el curso de la Segunda Guerra Mundial continúa siendo el elemento más gravitante.

El 24 de mayo de 1945 la legación de la URSS abre las puertas de su fastuosa sede para celebrar «la victoria de los ejércitos aliados sobre las armas de la barbarie nazi». Estuvieron presentes representantes de todos los sectores sociales: artistas, escritores, periodistas, industriales, comerciantes, importantes funcionarios del Gobierno e incluso militares de alta graduación. Según la crónica de la época, en los jardines del palacete se habían montado cantinas donde, acorde con el espíritu de los acontecimientos, se podía degustar «desde la inocente Coca-Cola hasta el ardiente vodka». Cordialidad y júbilo fueron las notas dominantes, registrándose como «detalle que llamó la atención» la presencia del gran escritor norteamericano Ernest Hemingway.

Desde el punto de vista económico la segunda posguerra resultó una coyuntura favorable para Cuba. El gobierno aprovechó las circunstancias y, consolidado en el manejo del Estado, buscó extender su influencia a los sindicatos. El IV Congreso de la CTC es inaugurado por el flamante presidente Grau San Martín y el comunista Lázaro Peña es reelegido al frente de la misma. En 1947, los auténticos, ya en el control del aparato estatal, se proponen desplazar a éstos de la conducción del movimiento obrero. Advertidos de sus intenciones, la dirigencia sindical hegemonizada por los comunistas convoca el V Congreso de la CTC en el Palacio de los Trabajadores y una vez más reelige a Lázaro Peña al frente de la misma. Los auténticos realizan un congreso paralelo en el teatro Radio Cine con la presencia de Grau. El Ministerio de Trabajo, que conduce Carlos Prío Socarrás, otorga legalidad a éste y se proclama como secretario general al independiente Ángel Cofiño.

La CTC oficialista fue rebautizada por sus opositores como «CTK», en alusión a los fondos que ésta recibía procedentes del llamado inciso K del presupuesto del Ministerio de Educación. Su situación financiera se reforzó con la implantación por decreto de la «cuota sindical obligatoria».

En ésta, como en otras situaciones, el ministro de Educación, José Alemán, aparece como el paradigma de la malversación de fondos. Sin embargo, el presidente Grau San Martín siempre mantuvo una cerrada defensa de su funcionario, lo que contribuye a aumentar la sensación de que la corrupción no era la conducta venal de tal o cual individuo, sino una práctica generalizada del gobierno de turno. El cohecho no tardó en combinarse con el gangsterismo.

La prestigiosa revista *Bohemia*, en su sección «En Cuba» del 18 de agosto de 1946, presentaba de la siguiente manera los atentados que contabilizaba como números 43 y 44 de la era auténtica: «El hombre señalado como la víctima conducía su propio automóvil en horas de la noche...», se colocó otro vehículo a su izquierda y «de él asomó un revólver y, casi a boca tocante, fulminó repentinamente a Julio Lobo Olavaria». La descripción prosigue con detalles propios de los retratos trazados por Hollywood respecto de estas acciones. «El carro, sin control, se precipitó violentamente contra un poste del alumbrado, mientras la cabeza horadada del herido oprimía con su peso inerte el claxon, en llamada involuntaria». Pero ¿quién era Julio Lobo Olavaria? Lobo había nacido en Venezuela y era «hebreo por su origen». Se había establecido en Cuba en 1919 y había llegado a construir una gigantesca empresa, la Galbán Lobo Company Importing and Exporting Association que entendía en los negocios del azúcar, café, droguerías, ferretería, víveres, productos químicos, seguros, licores, camiones, bicicletas y todavía no se agota la lista de productos.

La crónica, después de dejar asentado el debido respeto que sentían por la infortunada situación que atravesaba el personaje, sostenía que se trata de «un comerciante aprovechado que ha intervenido en miles de operaciones ilícitas durante todos los gobiernos que ha tenido la República». Su nombre es sinónimo de agio y especulación, trucos y bolsas negras.

Tres días más tarde se produce un nuevo atentado: el blanco fue el jefe de Comercio Exterior del Ministerio de Estado, que milagrosamente sale ileso. En esta ocasión el arma elegida para atacar el coche del doctor Valdés Rodríguez fue una escopeta de cañón recortado, «arma inflamada de historia, con la que se iniciaron en Cuba los atentados políticos, y que había quedado olvidada —según consigna el periodista— por los revolucionarios una vez que consiguieron su principal objetivo: derribar al tirano Machado».

Funcionarios y empresarios lanzados en busca de protección personal multiplican el número de guardaespaldas, y si antes dos o tres podían pasar como amigos del regente, ahora se informa que «constituyen verdaderas falanges de protectores armados, encargados de cubrir y proteger a su jefe. La Policía secreta también busca adaptarse a los nuevos tiempos y promueve que sus agentes se adiestren en el manejo de la ametralladora de mano, «única arma que puede competir ventajosamente con la recortada».

Si antes la violencia parecía monopolizarse principalmente en la eliminación de los enemigos políticos, ahora parece tener como eje la pugna entre los que viven de la especulación y los que la padecen. Sin embargo, las venganzas y los crímenes políticos continúan su curso.

Hastiado moralmente, Eduardo Chibás, que había apoyado la candidatura de Grau San Martín, se separa formando en 1946 el Partido del Pueblo (ortodoxo). Encuentra receptividad fundamentalmente en los jóvenes y su idealismo lo lleva incluso hasta el suicidio, años más tarde, en 1951.

Cumpliendo con los plazos constitucionales, en 1948 se realizó una nueva elección presidencial. De acuerdo con el peculiar sistema electoral cubano, previamente a la votación se efectuaba un registro de potenciales electores de cada partido que se presenta en la contienda. Los guarismos finales son:

| Partido | Registrados | Votos |
|---|---|---|
| PRC (A) | 790.327 | 895.999 |
| Republicanos | 282.154 | |
| Liberales | 357.469 | 595.011 |
| Demócratas | 188.617 | |
| PPC (O) | 164.875 | 320.929 |
| PSP | 157.283 | |

El candidato más votado es Carlos Prío Socarrás, que a los votos de su partido, el PRC (A), se suman los aportados por los republicanos. La coalición de Liberales y Demócratas se ubica en un distante segundo lugar, pero este caudal de votos es suficiente para permitir el acceso de Fulgencio Batista a un escaño en el Senado. Chibás queda relegado al tercer lugar, pero el tono de su campaña moralizadora alimentará el crecimiento de los Ortodoxos, hasta convertir a esta fuerza política en la dotada de mayores chances para las elecciones presidenciales siguientes.

Apenas toma posesión Prío, Chibás mantiene su tono de denuncia apuntando a los integrantes del gobierno, a los que acusó de ladrones. Estas denuncias eran prácticamente cotidianas. Uno de los acusados fue el citado ministro de Educación, Sánchez Arango. Chibás sostuvo que éste había adquirido varias fincas en Guatemala con dinero malversado del erario público. La información resultó falsa y Chibás finalmente no pudo probarlo, pero al terminar un programa, un domingo por la noche, en un medio masivo de comunicación social ratificó que todo el equipo gubernamental estaba compuesto por ladrones y se disparó un tiro, con la intención de sacudir a la ciudadanía y promover una reacción en la conciencia cívica de las masas frente a la situación que le resultaba moralmente insoportable. Inmediatamente, fue trasladado a una clínica y después de varios días de agonía murió.

El hecho no pudo menos que causar una gran conmoción, se trataba de un sacrificio personal en pos de «la revolución».

El Partido Ortodoxo llevaba como candidato a la presidencia a Roberto Agramonte, un profesor de sociología prestigioso como intelectual pero con pocas dotes políticas. Los auténticos postularon a Carlos Hevia y Batista también aspiraba a que su partido alcanzara el primer puesto, algo en que todos coincidían en considerar como imposible.

El 10 de marzo de 1952 Batista da un golpe frente a la apatía generalizada de la ciudadanía. El Mayor General Retirado, senador por el Partido Liberal y ahora nuevamente presidente, adujo como razón de su acción que el gobierno de Prío proyectaba un golpe de Estado para impedir las elecciones y frustrar el acceso de los Ortodoxos a la primera magistratura. Otras justificaciones fueron esgrimidas, como la corrupción del gobierno depuesto a su falta de autoridad. Sin embargo, todos estos argumentos se desvanecen frente al hecho de que el golpe marcista venía a impedir las elecciones programadas para julio. Mediante un estatuto provisional, se decía que iban a respetar los preceptos fundamentales de la Constitución de 1940, y se prometió no eliminar las conquistas que el movimiento obrero ya había alcanzado. Eusebio Mujal, que había arribado a la secretaría general de la CTC en 1949, de la mano de los auténticos brinda su apoyo a la dictadura que se inicia en 1952 y su suerte quedará indisolublemente atada a ésta.

El ex presidente Fulgencio Batista había entregado el mando de la República a su oponente Grau San Martín. En *Antología del pensamiento político americano actual,* que se publicó en Buenos aires en 1945, expresaba:

«Si en Cuba ya no se habla del imperialismo yanqui es porque la frase se ha desterrado con los hechos. Las cosas en la vida pública siguen idéntico proceso que en la vida biológica, no se nace un día para ser hombre a las pocas semanas, ni a un pueblo se le transforma en cuatro años. Toda transformación necesita de unidad. Y esa unidad es la que espero de todos los cubanos.»

# Capítulo 8

# LA REVOLUCIÓN MARCISTA

El 10 de marzo de 1952 Prío, el presidente constitucional, es depuesto sin ofrecer ninguna clase de resistencia. La opinión pública permaneció atónita y el golpe militar sin legitimidad vendrá a reemplazar a un elenco político tradicional aún más deslegitimado.

El nuevo régimen inmediatamente derogó la carta fundamental, sustituyéndola por un estatuto autodenominado Constitucional y diseñado a su gusto. Se disolvió el Congreso de la Nación y se nombró en su reemplazo a un Consejo Consultivo para el que fueron convocados amigos y allegados de Batista. Se removió a gobernadores y alcaldes elegidos por mandato popular, para colocar en su lugar a colaboradores de la dictadura.

Tras haber anulado la Ley Fundamental de la Nación, disuelta la máxima institución representativa, burlados los mandatos populares, suspendidos todos los partidos políticos, el gobierno que preside Batista recibe por boca del embajador de los Estados Unidos, Willar Blaulac, la comunicación oficial de que el gran país del norte reconoce a las nuevas autoridades. No menos significativas son las declaraciones de un grupo de agentes y accionistas de la United Steel Co., que entienden que el reconocimiento es una señal favorable que con beneplácito recibe el capital norteamericano. Batista restituye el gesto mostrando su disposición a enviar tropas a Corea en caso de ser necesario y dando plenas garantías al capital extranjero invertido en la isla.

También importantes actores internos dieron su respaldo. La Asociación de Banqueros y la Asociación de Colonos y Hacendados se ofreció a colaborar. Otro tanto hizo la otrora prestigiosa Asociación de Veteranos, y el alcalde de La Habana, Castellanos, tampoco quiso quedar al margen. La CTC cooperó de hecho e incluso un comunicado de la Federación Nacional de Trabajadores del Azúcar invitó a mantener «relaciones cordiales» con el nuevo gobierno. Algunos partidos políticos que hasta entonces habían apoyado a Prío, como los demócratas y los radicales, comenzaban a acercarse al nuevo centro de poder.

Lejos de la generación de un consenso amplio y de haber eliminado las tensiones sociales, reproduciendo el estilo de Eva Perón, la primera dama, Marta Fernández de Batista, comenzó a hacer donativos con fines benéficos.

Pero el principal problema que el gobierno debía afrontar era la cuestión económica suscitada por la superproducción de azúcar. Inmediatamente se propicia el abandono de la zafra libre por la zafra restringida, poniendo en funcionamiento un conjunto de mecanismos que, al tiempo que buscan dar «racionalidad», abren la puerta a especulaciones por parte de un sector minoritario ligado a la toma de decisiones respecto de las cuotas, precios de ventas, etc.

El periodista e historiador Raúl Cepero Bonilla, impedido por la censura del régimen de Batista de continuar la publicación de su columna de análisis y defensa de la economía cubana, compone, a finales de 1958, una documentada obra titulada «Política azucarera». Entiende que los economistas deben tomar partido, deben diagnosticar tanto como incitar a la acción. Apela a la metáfora biologista y denuncia la existencia de un «tumor canceroso» que impide el desarrollo económico y el bienestar ciudadano; la conclusión no puede ser otra que una llamada a su extirpación.

Discrepando con la actitud de las Asociaciones de Hacendados y Colonos, en el sentido de no pronunciarse en contra de las políticas oficiales en la materia, Cepero Bonilla coincide con Ramiro Guerra que es en la esfera pública, sin censura y ejercitando el debate a partir del desarrollo del juicio crítico, como deben abordarse las cuestiones de la industria azucarera en particular, pero también de la economía nacional en general. La meta que se propone es brindar un vehículo para la divulgación de una información vital para la nación, que circulaba de manera reservada en las asociaciones, los bufetes y algunos ministerios. Por tanto, en el libro se compendia la evolución y vicisitudes de la producción azucarera año a año, desde 1952 hasta 1958. Por sus páginas desfilan el ICEA, los mecanismos especulativos en boga, la ineficacia del Convenio Internacional Azucarero para sostener los precios del azúcar cubano y servir de instrumento para promover una política expansionista de la producción, la rebaja que impone el gobierno de los Estados Unidos al ingreso del azúcar cubano en su mercado, la producción clandestina, el papel de los monopolios y la responsabilidad del gobierno, los dirigentes de las Asociaciones de Hacendados y Colonos, con la complicidad de la dirección de los sindicatos liderados por Eusebio Mujal, aunque la crítica a éste apenas se insinúa y de una manera mucho más tangencial.

Una de las tesis principales es que la disminución de los precios y de los volúmenes de venta no evitó que el azúcar siguiera siendo un gran negocio para sectores minoritarios ligados al Estado y a la especulación del producto.

El régimen frente a la nueva crisis de superproducción relativa no crea nuevos instrumentos intervencionistas; le basta con retomar aquellos diseñados e implantados para conjurar la crisis de 1930. El Estado pasa a intervenir directamente en la regulación de todos los pasos que se presentan en la cadena de producción del azúcar. El gobierno fija la fecha de inicio de la zafra, las cuotas que se asignan a cada productor, señala las cuotas de ventas para cada uno de los tres mercados —mundial, de los Estados Unidos y local—, regula el precio de las cañas, fija los salarios agrícolas e industriales y vende directamente la producción de las mieles y una porción del azúcar.

Para Cepero Bonilla, la industria azucarera puede ser descrita como «un inmenso cártel dirigido por el Estado». Los ciento sesenta y un ingenios existentes en manos privadas se ven sometidos al control gubernamental, que no ha hecho uso sino abuso de sus prerrogativas. Sin medias tintas afirma: «en verdad, nunca la política azucarera ha respondido, tan plenamente, a los intereses de los especuladores como la impuesta por los hombres del 10 de marzo».

En el centro de esta política está el ICEA. Formado por representantes con voz y voto de los hacendados, colonos y obreros, y un miembro con voz, pero sin voto, designado como delegado del poder ejecutivo. Lo paradójico está dado por el hecho del carácter ficticio de la autonomía del organismo, para ser en la práctica una dependencia palaciega más. ¿Cómo ha sido posible esto? La cooptación conseguida por el régimen instaurado el 10 de marzo se explicaría en primer término por la política de la zafra restringida. Esta medida obliga a que se fijen las cuotas que le corresponde a cada ingenio y, a mayor influencia sobre el gobierno, correspondería una mayor cuota. Las grandes compañías nacionales y norteamericanas no dudaron en alinearse detrás de Batista. Pero Cepero Bonilla introduce un matiz sutil e interesante: los representantes de las compañías no son hacendados, tampoco lo son los representantes de los colonos, sino que ese lugar lo ocupan los abogados. Se trata entonces de personajes que no son productores directos, sino ligados al circuito de la comercialización, o más específicamente, y según nuestro autor, especuladores.

Al día siguiente del golpe de Estado los hacendados estaban dando su respaldo en persona al nuevo Jefe de Estado. Éste les retribuyó el gesto liberándolos del compromiso que habían contraído con el depuesto presidente Prío Socarrás de comprar los Ferrocarriles Unidos. El desembolso de 13.000.000 de pesos quedaba anulado. Sin embargo, un año más tarde el régimen imponía a los hacendados, colonos y otros usuarios de la nueva empresa mixta concesionaria de los ferrocarriles la suscripción obligatoria de las acciones. El disciplinamiento fue total y no se alzaron voces de protesta.

Los dirigentes de la Asociación de Hacendados habían sellado un pacto político con el régimen. Su suerte estaba unida al destino de éste. Y éste no era otra cosa que la expresión del desarrollo de la lógica del capital en el contexto contractivo que imponían los mercados a Cuba. Un hacendado describía la situación de la asociación en 1955, en los siguientes términos: «Desde la fatal desaparición de aquel gran líder que se llamó Casanova... hemos caído en manos de nuestros actuales rectores, que contra viento y marea se aferran, no importa cómo, a la dirección del organismo, unas veces con prebendas, otras con amenazas y las más de las veces siguiendo la táctica marxista: divide y vencerás, pero aprovechando la insidia de una clase como la nuestra, que sólo mira sus conveniencias particulares, ante los problemas que debíamos afrontar, en un solo y cerrado frente.»

Es cierto que hubo hacendados que criticaron abiertamente la política azucarera de Batista, como en un primer momento el magnate Julio Lobo, pero en general terminó imponiéndose la obediencia al poder. Aun con opiniones discrepantes, se votaba en el sentido que señalaba el gobierno, nadie quería quedar públicamente enfrentado con él. Cepero Bonilla evoca aquello que repetía Hitler respecto de que el poder es lo decisivo. A esto se suma el componente moral de la dirigencia azucarera, que para él es «baja». No sólo habían aprobado el golpe militar sino que también ocuparon cargos en los ministerios, escaños senatoriales y puestos en los consejos consultivos. Con amargura expresaba: «mi experiencia personal, obtenida en el contacto diario con los problemas y los hombres de la industria azucarera, es desconsoladora».

De la producción de 1952 quedó un excedente de 1.750.000 toneladas de azúcar sin vender. El gobierno de Batista responsabilizó al gobierno anterior por la generación de un excedente que afectaba grandemente al mercado y que obligaba a imponer restricciones para las zafras de los años siguientes. La imprevisión de la gestión de Prío Socarrás en realidad se vio potenciada por los anuncios del nuevo régimen, pues los cálculos de las cuotas que podrían aportar cada uno de los productores se haría sobre la base de seleccionar tres zafras del último quinquenio, a las que se sumaba la que estaba en curso de molienda en 1952. Cada central, a los efectos de elevar su promedio, molió hasta el último «cogollo» y sacos inexistentes para lograr un mejor posicionamiento en el futuro gris que se avecinaba. El anuncio de la limitación de la zafra futura generó una superproducción de la que estaba en curso.

Mientras Cuba restringía su producción de azúcar para 1953 en 5.000.000 de toneladas, los países competidores (Santo Domingo, Formosa, Perú, Brasil y Yugoslavia) aumentaban sus exportaciones en el mercado mundial.

El hacendado cubano Alejandro Suero Falla se pronunció contra la restricción de 1953 en los siguientes términos: «El pueblo cubano no puede aceptar una restricción, puesto que ésta afectaría al total de su economía, no sólo hoy, sino en el futuro. Restrinjamos sólo las siembras nuevas, para no crecer demasiado aprisa, pero no perjudiquemos al obrero, que dejaría de trabajar veinte días por cada cien en la industria.»

La producción mundial de azúcar, excluyendo a Cuba, pasó de 31.780.754 toneladas en 1952 a 33.530.73 al año siguiente, mientras que en la isla en igual período el descenso de la producción azucarera era de 2.032.748 toneladas. Esta política no había podido evitar la caída de los precios; en enero de 1953 el precio era de 3,55 centavos y en octubre había caído a 3,10 centavos.

En esta coyuntura crítica el régimen consiguió que la X Asamblea General de las Naciones Unidas (1953) convoque una Conferencia Mundial para aprobar un nuevo Convenio Internacional Azucarero, en sustitución del suscrito en la ciudad de Londres en 1937. El objetivo era estabilizar la producción y los precios. El instrumento básico era el aumento de los tonelajes que constituyen la base para la fijación de cuotas exportadoras en función de los pronósticos de la evolución de la demanda del mercado. Pero el Convenio se asentaba sobre bases sumamente defectuosas. No todos los países exportadores de azúcar suscribieron el convenio, y los que lo hacían estaban obligados a limitar su producción; por su parte, los países importadores participantes no estaban limitados en cuanto a desarrollar una política de autoabastecimiento o respecto de a quiénes comprar.

En función de este cuadro de situación, la táctica del gobierno de Batista en el Congreso de Londres fue renunciar la participación de Cuba en el mercado mundial, en favor de ciertos países, fundamentalmente del Caribe, con la evanescente expectativa de que éstos no reclamasen la reformulación de la Ley de Cuotas de Estados Unidos.

En la medida que el convenio de Londres no podía regular con eficacia la producción mundial de azúcar, ni promover la expansión del consumo, tampoco podía coronar con éxito la estabilización de los precios. En este punto se trataba de un instrumento inocuo.

La puesta en práctica del Convenio durante los años 1954, 1955 y 1956 dejó como saldo un sabor amargo. Cuba fue el único país miembro del Convenio que en el período citado había exportado menos azúcar que en el trienio 1950-1952; mientras la producción mundial continuaba en aumento, la de Cuba disminuía.

El Convenio no había estabilizado ni la producción ni los precios. Se imponía entonces el repudio del Convenio de Londres o su reformulación, y fue este último camino el que se emprendió. Se modificó el mecanismo de los precios y el régimen de cuotas, pero los problemas pervivieron.

Aunque en 1957 Cuba comienza un proceso de recuperación, la venta de azúcar al mercado mundial fue inferior a la del año anterior. Sin embargo, el precio promedio de 5,05 centavos por libra fue uno de los más altos desde 1920. Maña explicaba este precio desorbitado en «razones psicológicas circunstanciales», pues era la tensión internacional y la ola especulativa que se montaba sobre ella la que llevó de forma imprevista los precios de 3,92 centavos la libra (en noviembre de 1956) a 6,46 centavos (en abril de 1957).

El 1958 fue un año sobre cual existía incertidumbre respecto de cuál iba a ser el monto de la zafra cubana. Los factores políticos gravitaban fundamentalmente para abrir un signo de interrogación respecto de si se cumpliría con las 5.500.000 toneladas fijadas por el gobierno, dado que el ejército guerrillero, con su comandancia general en la Sierra Maestra, había incluido, entre las acciones a desplegar, la quema de cañas. La amenaza de una huelga general en los primeros meses en la isla sumaba una variable de incertidumbre sobre el mercado mundial y el norteamericano.

Aunque hubo ingenios como los de Cape Cruz que no pudieron iniciar la molienda, la destrucción de la caña por parte del ejército rebelde no se generalizó. Puerto Rico registró un déficit de 300.000 toneladas en las exportaciones que tenía asignada para el mercado norteamericano, y como consecuencia de una huelga tampoco Hawai cumplió con las cantidades que debía volcar al mercado norteamericano. Este déficit generado en 600.000 toneladas fue cubierto casi en un 50 por ciento por Cuba.

Esta recuperación en las ventas fue acompañada de una mejora de los precios internacionales de azúcar, empujados por la revolución en Irak, que determinó el envío de tropas norteamericanas e inglesas al Líbano y Jordania, en lo que parecía anunciar el inicio de una nueva guerra. Tan pronto como se desvaneció esta posibilidad, el precio volvió a bajar a su nivel anterior.

¿Convenía a Cuba continuar suscrita al Convenio Internacional Azucarero? Para Cepero Bonilla el Convenio afectó negativamente la participación de Cuba en el mercado mundial. Mientras que el promedio de exportaciones reales anteriores a la entrada en vigencia del Convenio era de 2.600.000 toneladas, entre 1954 y 1957 apenas alcanzó la cifra promedio de 2.200.000 toneladas anuales.

A esto debe agregarse que el gobierno había retenido la venta de azúcar al mercado mundial más allá de lo que establecía la letra del Convenio, para intentar influir en coyunturas específicas sobre los precios. En la medida que el Convenio no contenía a todos los actores, y por tanto se le escapaba el control efectivo sobre la oferta y la demanda global, el encuadramiento de Cuba dejaba como saldo la pérdida de porciones cada vez más significativas del mercado mundial: «Cuba no puede confiar en el azar para la defensa de su participación en el mercado mundial.»

Hasta el año 1956 inclusive, Cuba debía cubrir el 96 por ciento del aumento de consumo de Estados Unidos, correspondiendo el 4 por ciento restante a Santo Domingo, Perú, México, etc. Sin embargo, en ese año el Congreso de los Estados Unidos aprobó y puso en práctica de manera retroactiva una nueva Ley de Cuotas. Ahora se asigna el 43,20 por ciento (en lugar del 96 que le correspondía por la legislación anterior) y el 29,59 para los cuatro años siguientes.

El texto legal que venía a reemplazar la norma anterior fue presentado por el régimen como un triunfo, con el argumento de que la disminución en términos porcentuales implicaba un crecimiento en valores absolutos. Esta explicación resulta a todas luces incoherente: si tan sólo se compara lo que debía exportar Cuba en 1956 de acuerdo con la legislación anterior y la ley vigente, 363.200 toneladas de azúcar menos representa una pérdida tanto en términos porcentuales como reales.

El cuadro se agrava si se tiene presente que el saldo de la balanza comercial entre ambos países resultaba negativo para Cuba:

| Años | Exportaciones (en millones de $) | Importaciones (en millones de $) | Saldo |
|---|---|---|---|
| 1952 | 439,9 | 515,8 | -75,9 |
| 1953 | 454,4 | 426,6 | -27,8 |
| 1954 | 402,0 | 429,3 | -27,3 |
| 1955 | 422,6 | 451,1 | -28,5 |
| 1956 | 457,1 | 519,1 | -62,0 |
| 1957 | 481,7 | 610,1 | - 128,4 |

La falta de una acción gubernamental más decidida, que involucrara y comprometiera por la vía diplomática al propio Ejecutivo de los Estados Unidos, constituyó para Cepero Bonilla un «error estratégico», que dejó el camino libre para que los *lobbistas* que operaban a favor de los competidores de Vuba pudieran influir sobre los legisladores de ese país.

En el repertorio de críticas que hacían algunos hacendados a las limitaciones impuestas por el sistema de cuotas azucareras y por el derrotero que seguían los precios, agregaban su disconformidad con los salarios que habían obtenido los trabajadores del sector.

Si se repasa el comportamiento que exhibían las principales variables macroeconómicas al inicio y al final del batistato difícilmente se pueda encontrar una explicación mecánica de su caída.

La zafra que a mediados de siglo se ubicaba en 5.300.000 toneladas, luego del pico récord de 1952 (7.012.000), en 1958 alcanzaba 5.600.000 toneladas. El café pasó de aproximadamente 32.878 toneladas en 1951 a 43.050 toneladas en 1958, registrándose un récord histórico en 1956 de 53.800 toneladas. El tabaco mantuvo un crecimiento gradual y sostenido en el tiempo, pasando de 74.676 en 1952 hasta pasar los 116.000 en 1958, si tomamos la unidad de medida en miles de libras.

Es en este carácter de país dependiente de su producción primaria, y el rol principal que en ella le cabe al azúcar, donde reside una de las claves explicativas. El paso de la zafra libre a la restringida de 1952 a 1953 no puso en movimiento tan sólo un esquema de alteraciones cuantitativas; esto condujo a importantes cambios cualitativos que hicieron sentir su impacto sobre el conjunto del cuerpo social. Como ya se ha señalado, la asignación de cuotas a los distintos productores y la regulación estatal en los mecanismo de comercialización condujeron a la multiplicación de conductas especulativas de parte de la minoría de funcionarios y magnates del azúcar ligados a esas actividades estratégicas, al tiempo que aumentaba proporcionalmente el malestar y la indignación de la mayoría de los que se veían impedidos de incrementar sus ganancias, por lo que consideran los sanos mecanismos del mercado combinados con transparentes y saludables políticas estatales.

La disminución del ingreso de divisas por la caída de los precios y el volumen de venta del azúcar en el exterior también afectan la composición de la balanza comercial. Aun cuando en 1957 el alza astronómica de los precios del azúcar en el mercado mundial y la recuperación en los volúmenes de las zafras de finales del período venían a desandar los efectos económicos de la crisis de superproducción de 1952, la existencia de una amplia y estructurada oposición política al régimen impidió definitivamente que éste pueda capitalizar el alivio que podían arrojar los grandes números.

Está claro que si hasta 1934 fueron los precios y los derechos aduaneros los dispositivos que regularon el flujo comercial azucarero, a partir de esa fecha el sistema de cuota rigió el vínculo con el mercado mundial y el norteamericano. En 1951 el azúcar equivalía al 88,1 por ciento de las exportaciones de Cuba. Su principal comprador eran los Estados Unidos que para esa fecha absorbía el 54,6 por ciento de las ventas cubanas de azúcar en el mercado externo. Por otra parte, del total de las importaciones que ingresaron a la isla en el período de 1946 a 1955, el 80,7 por ciento tenía como país de origen los Estados Unidos.

Para una clase media radicalizada y con una alta conciencia nacionalista, la limitación de la cuota azucarera ejercida por Estados Unidos resultaba tan odiosa como el manejo que el capital monopólico de aquel país hacía de algunos servicios públicos, teniendo en cuenta que llegó a dominar un 90 por ciento de este área.

El mercado laboral no se veía menos afectado. La desocupación aumentaba, dada la disminución de los días de zafra, y este gigantesco «ejército industrial de reserva» operaba como un factor objetivo para impedir un alza generalizada de los salarios. Y aunque en el período se registraron importantes huelgas, como la de 1955, uno de los principales sostenedores de Batista resultó ser la cúpula de la Central de Trabajadores encabezada por Eusebio Mujal.

Es muy importante comprender la composición y la dinámica que fueron imprimiendo las fuerzas opositoras para desembocar en un proceso revolucionario, incluso contra la voluntad de alguna de esas tendencias.

A la vanguardia de la resistencia se situaron los estudiantes de la Universidad de La Habana. Los Auténticos estaban divididos entre los seguidores del depuesto Prío Socarrás, que desde el destierro fomentó actividades de tipo conspirativas, y la fracción dirigida por el ex presidente Grau San Martín, que se mostró dispuesto a participar de una consulta electoral bajo ciertas condiciones que incluían el acceso de la minoría a cargos representativos y limpieza en los comicios. Los Ortodoxos, sin la guía de Eduardo Chibás, que se había suicidado unos meses antes del golpe del 10 marzo, tomaron una actitud de resistencia pasiva exigiendo el alejamiento de Batista y una nueva convocatoria a elecciones. De un sector de la juventud de esa corriente va a surgir un movimiento que finalmente se encontrará a la cabeza de la oposición, siendo su principal figura el novel abogado Fidel Castro Ruiz.

En su libro *Piedras y Leyes. Balance sobre Cuba*, publicado en Madrid en 1963, «el Excmo. Sr. D. Fulgencio Batista y Zaldívar, dos veces presidente constitucional de la nación cubana, cuyos enemigos, tras varios años de campañas internacionales de difamación, derrotismo y terrorismo, entregaron a Cuba a la revolución comunista, poniendo en peligro la paz de América y del mundo», según reza en la contraportada del libro, vierte los siguientes conceptos:

«Cincuenta y una embajadas.—A nuestra toma de posesión como presidente constitucional concurrieron, en febrero de 1954, embajadas especiales de cincuenta y un países. El prestigio internacional, conquistado por Cuba bajo nuestra administración, quedó así de manifiesto. Se cultivaban cordiales relaciones con todas las naciones del mundo, excepto las comunistas.»

«El arma vil de Judas. —Desde ahora la táctica comunista lanzaría otra de sus armas formidables, la "consigna" llevada al seno mismo de las tropas: los rebeldes no peleaban contra el Ejército, sino contra Batista.

Y fue el arma vil de Judas la que se puso en juego para conquistar a algunos oficiales y jefes que alcanzaban a comprender, en su confusión, que la conjura no iba solamente dirigida contra el general Batista sino contra la República y, naturalmente, contra ellos mismos, como los hechos se encargarían de verificar cruelmente.

La insidia no pasó inadvertida a la sensibilidad popular. Era un secreto a voces; pero se hacía casi imposible admitir que en hombres de empresa, industriales y comerciantes, cuajara la propaganda hasta el punto de considerar aptos a terroristas y probados delincuentes para el ejercicio del gobierno democrático y de solicitar, antes de que lo hicieran jefes militares, nuestra renuncia "para terminar —decían y muchos de buena fe lo creían— con la tragedia cubana y poder vivir en paz"».

# Capítulo 9

## POLÍTICA REVOLUCIONARIA DE LOS ESTUDIANTES

El mismo 10 de marzo de 1952, los estudiantes de la Universidad de La Habana le solicitaron al presidente Carlos Prío Socarrás que les entregara armas para organizar la resistencia al levantamiento de Batista, pero se negó. Apenas pasados cuatro días del golpe, los estudiantes, nucleados en la Federación Estudiantil Universitaria (FEU), ponen en circulación un documento para dar a conocer a la opinión pública las posturas que sustentan frente a los acontecimientos de la hora y las actitudes a adoptar en el futuro.

La Declaración de Principios, que lleva la firma, entre otros, de José Antonio Echeverría y José L. Wangilermert hijo, se abre con una cita de José Martí: «El estudiantado es el baluarte de la libertad y su ejército más firme.»

Los estudiantes se representan a sí mismos como la voz del pueblo, los abanderados de la conciencia nacional, bastión y esperanza de la dignidad cubana. Sienten entonces que esto les impone deberes, que en el contexto político de la isla es inocultablemente arriesgado. Apartados de los partidos y de los intereses de grupo, sus puntos programáticos son la defensa de la Constitución, de la soberanía popular y «del decoro ciudadano».

No están dispuestos a retroceder en la lucha hasta que se restablezca la plena vigencia de las libertades políticas y civiles. Consideran que el cuartelazo del 10 de marzo ha colocado a Cuba, que hasta ahora era «orgullo y bandera de los pueblos de nuestra lengua y espíritu por la estabilidad de sus instituciones democráticas», en una situación equivalente a la que se vive en los países satélites del Este europeo. El progreso social, económico y cultural ha sido interrumpido por este gesto de Batista que ubica a Cuba «detrás de la cortina de hierro de América».

Dicen que no se puede entonces volver a la labor serena y sosegada de las aulas cuando la violencia castrense y la violación sistemática de las leyes se ha tornado moneda corriente. La crítica se dirige a los protagonistas del golpe militar, pero también surge una advertencia hacia los dirigentes y legisladores de los partidos políticos que intenten dar visos de legalidad a una situación ostensiblemente ilegal que traiciona «la memoria de los fundadores, la majestad de la Constitución, la confianza del pueblo y la causa de la democracia».

Los estudiantes son plenamente conscientes de que enfrentarse a Batista implica poner seriamente en riesgo la propia vida, pero consideran indigna la renuncia a la llamada de la historia, que no es otra que la llamada de la libertad. «Nuestras madres engendraron hijos libres y no esclavos. Nadie como ellas sufren, en lo más hondo de sus entrañas desgarradas, en días como éstos en que sobre cada uno pende la espada de Damocles. Pero estamos seguros de que nos instarán valerosamente a combatir por la libertad de cuba, a fin de que podamos vivir sin sonrojos mañana. Saben, como sabemos nosotros, que es preferible morir de pie a vivir de rodillas».

Desde la colina universitaria se convoca a la unidad de todos los partidos y organizaciones considerados genuinamente democráticos, y se invita a todos los estudiantes, obreros, campesinos, intelectuales y profesionales a ser parte activa de la cruzada que restablezca la República.

Se perciben como una voz «incontaminada y viril» que no sería otra que la caja de resonancia de la propia voz del pueblo. Convencidos de que la voz del pueblo es la voz de Dios, incitan a tener una «fe absoluta» en la FEU que lucha por los sagrados valores de libertad, justicia y derechos. El documento concluye con la manifestación de la intransigencia ética que la caracteriza: «La Federación Estudiantil Universitaria ni se rinde ni se vende.»

Batista intenta rápidamente congraciarse con los estudiantes, anunciando su interés de crear una nueva ciudad universitaria de varios miles de millones de pesos, pero éstos le contestan enarbolando la consigna de «la Universidad ni se vende ni se rinde». Un mes más tarde se organiza una ceremonia de entierro a la Constitución de 1940 frente al busto de José Martí. Son apenas doscientos estudiantes, pero el efecto político del gesto se amplifica significativamente.

El 15 de enero de 1953 es asesinado en la vía pública Rubén Batista, un estudiante de apellido homónimo sin lazos parentales con el dictador, que estaba participando de una marcha en recuerdo de Julio Antonio Mella, prohibida por las autoridades.

Lejos de sentirse amedrentados, un numeroso grupo de estudiantes y profesores se suman a un complot planificado por el Movimiento Nacionalista Revolucionario liderado por el profesor García Bárcena. La policía descubre en abril la conspiración en marcha. Se cierra la Universidad; ciento setenta y cinco estudiantes son detenidos y las torturas aplicadas a García Bárcena acaban prácticamente con su espíritu.

El 26 de julio de 1953 se produce el frustrado asalto al cuartel de Moncada, al que nos referiremos más adelante. El hecho contribuye a profundizar el debate en las bases del movimiento estudiantil y aumenta las críticas hacia un sector de la dirigencia que propicia la neutralidad frente a los que reclaman un compromiso más marcado con la realidad. Entre estos últimos se encuentra el joven estudiante de arquitectura José Antonio Echeverría, que en 1954 es elegido secretario general de la Federación de Estudiantes Universitarios.

Cuando se produce la invasión de Castillo Armas contra el presidente constitucional de Guatemala, Jacobo Arbenz, la FEU convoca a alistarse para combatir junto al pueblo guatemalteco y organiza un gran acto de repudio a la agresión a la soberanía de aquel país hermano. Con una actitud análoga, pero esta vez acompañada por el envío de un contingente efectivo de hombres, se condena la agresión respaldada por Somoza y Estados Unidos contra Figueres, el presidente de Costa Rica.

El gobierno, confiando en sus propias fuerzas, programa elecciones para el 1 de noviembre de 1954. Grau San Martín a la cabeza de un sector de los Auténticos decide presentarse, apoyado por los comunistas, cuya agrupación era el Partido Socialista Popular. En plena campaña electoral, uno de los máximos dirigentes del PSP, Blas Roca, recuerda el mitin realizado en Santiago como memorable: «Durante veinticuatro horas el partido recuperó su legalidad y las masas se hicieron dueñas de las calles... Al encontrarse con una avalancha de votos negativos , el gobierno se vio obligado a cambiar las normas de la elección...». El fraude está en marcha, Grau se retira y el grueso de la oposición ratifica su postura abstencionista frente a la atmósfera intimidatoria y coercitiva. Vota sólo el 50 por ciento del electorado y el escrutinio es realizado en los cuarteles militares. Batista se proclama presidente y los Auténticos se convierten en la minoría de ambas cámaras (son elegidos

*José Antonio Echevarría.*

18 de 54 senadores y 16 de 114 diputados).

Tras las elecciones Batista se siente consolidado y asesta un duro golpe al viejo gangsterismo al capturar y matar a Orlando León Lemus, amigo de Prío. En abril toma posesión como presidente constitucional y se siente lo suficientemente fuerte como para conceder una amnistía general. Fidel Castro y los demás presos por el asalto al cuartel de Moncada recuperan su libertad en mayo. Bajo el mismo marco legal se permite el regreso del destierro a Prío Socarrás y a finales de 1956 se realiza un mitin en el que participa casi todo el arco opositor: José Antonio Echeverría por la FEU, Raúl Chibás presidente de los ortodoxos, Carlos Prío y Grau San Martín por los Auténticos, Miró Cardona por el Colegio de abogados. El Movimiento 26 de Julio no tomó parte. Pero todo esto responde a una apertura breve en el tiempo y parcial en sus alcances. Las detenciones, torturas y asesinatos son de nuevo puestas en el orden del día. En una intervención pública Echeverría hace suyas las palabras de José Martí: «Los derechos de los pueblos no se mendigan, se arrancan. No se conquistan con lágrimas sino con sangre.»

El 24 de febrero de 1956, en el Aula Magna de la Universidad de La Habana, José Antonio Echeverría anuncia oficialmente la constitución del Directorio Revolucionario. Lo cierto es que ya desde noviembre del año anterior la organización venía funcionando como tal desde la clandestinidad. La fecha elegida entonces para la presentación pública está cargada de valor simbólico. Un 24 de febrero, pero de 1895, se reiniciaba la lucha armada para terminar con la dominación colonial española. En el poblado de Baire, en la provincia de Santiago de Cuba, se lanzaba el grito de «¡Independencia o Muerte!», comenzaba la *guerra necesaria*, como la había definido José Martí.

Echeverría consideraba que se había demostrado completamente agotado cualquier intento de transitar por la vía pacífica el fin del régimen instaurado por el tiranuelo traidor. Urge aplicar soluciones radicales y para ello el pueblo cubano ha manifestado su decisión de lucha, pero también de holocausto.

En diciembre de 1955 hace sentir con firmeza su voz el proletariado azucarero. Protestan contra la restricción de las zafras, la intensificación de los ritmos de trabajo y el congelamiento de los salarios, demandando el pago de un diferencial. Se lanza la huelga , a la que además de los obreros azucareros y de otros gremios se suman los estudiantes de la FEU. A pesar de la acción represiva de Batista y de la tradicional actitud traidora de la burocracia sindical que conduce Eusebio Mujal, la acción de masas consigue la firma del decreto de pago del diferencial para los obreros agrícolas e industriales del azúcar.

Para el Directorio Revolucionario ya no es tiempo de espera, ni de transacciones. El camino abierto por la vanguardia estudiantil es ahora transitado por el pueblo, que en las calles ha señalado el camino; se trata entonces de marchar de manera firme y segura «hacia la insurrección revolucionaria». En esta nueva coyuntura, según el DR, es el pueblo quien dirige a toda la militancia revolucionaria de «todas las clases sociales» en la lucha contra el enemigo común.

Sostienen que la revolución no puede ser obra de un sector determinado, sino que se requiere el concurso de todos, de un instrumento capaz de sintetizar la diversidad, que respete los criterios de cada uno y coordine y brinde una orientación unificada para la acción. Se trata de que los métodos y potencialidades de cada clase social y de cada sector de la población se pongan al servicio del proyecto revolucionario. La FEU es un organismo representativo de un sector; el estudiantado universitario, que no puede, por tanto, cumplir ese papel de aglutinación en su seno sin violentar su naturaleza, por tanto respalda y auspicia la creación de este organismo más amplio que debe ser el Directorio Revolucionario.

Echeverría insiste que es necesario juntarse para renovar el sistema político, económico, social y jurídico. Es necesaria la unidad para que la revolución iniciada por aquel patriota, Joaquín de Agüero, fusilado por las autoridades coloniales por encabezar el alzamiento en 1851 en pos de la verdadera independencia, nunca alcanzada, retome su paso. Es necesaria la suma de todos los esfuerzos para conquistar la libertad política, independencia económica y la justicia social. El DR se propone coordinar todos estos esfuerzos para conducir con éxito la insurrección que derroque a la tiranía e instaure el «estado revolucionario».

La FEU, a través del DR, convoca «al estudiante aguerrido, al obrero recio, a la mujer insumisa, al propietario justo, al soldado que repudia el crimen, al campesino, ¡a todos!», para que en la fraterna coordinación revolucionaria se alumbre la república nueva.

«En estos momentos acaba de ser ajusticiado revolucionariamente el dictador Fulgencio Batista», así comienza la proclama difundida desde una emisora de radio tomada el 13 de marzo de 1957. «Somos nosotros, el Directorio Revolucionario, la mano armada de la Revolución Cubana, los que hemos dado el tiro de gracia a este régimen de oprobio», así proseguía la alocución redactada por José Antonio Echeverría. El DR, integrado por estudiantes, obreros y jóvenes profesionales, asume la responsabilidad de haber dado muerte a la «alimaña sangrienta». La Revolución está en marcha, se convoca entonces a los habitantes de la capital a tomar las armas y acudir a la universidad. La universidad vuelve a colocarse como el centro simbólico de la lucha revolucionaria en proceso de imponerse con éxito.

«La Colina Universitaria te dará la libertad definitiva». Se informa también que se acaba de constituir en Columbia una «Junta Revolucionaria de Civiles y Militares» y un pasaje deja en claro que se repudia por igual tanto a los dictadores americanos, Trujillo en República Dominicana o Pérez Jiménez en Venezuela, como a Francisco Franco.

Pero el grupo que tenía a su cargo el ataque al palacio presidencial con la intención de dar muerte al tirano no logra su cometido. Batista sale ileso, y son abatidos treinta integrantes del DR, entre ellos el propio Echeverría, que había dirigido el asalto a Radio Reloj y cae junto a los muros de la Universidad.

Presintiendo la posibilidad de un desenlace fatal, dado lo arriesgado de la operación, Echeverría dejó redactada una carta dirigida al pueblo de Cuba. Allí reivindica la acción del DR y, consciente del peligro que entraña, aclara que si bien no busca el riesgo, tampoco lo rehúye, porque de lo que se trata es de cumplir con el deber. En este *Testamento Político* deja aclarado que el compromiso quedó fijado en la Carta de México.

Su exhortación final es a sostener la lucha: si todos los líderes y hasta los hombres perecieran, llama a tener presente lo que dijera el apóstol, que se levantarían las piedras para luchar por la libertad de la patria.

En su libro *Respuesta...*, Fulgencio Batista recuerda con un claro tono de denuncia la descripción de los jóvenes estudiantes cubanos que hacía en 1957 Carleton Beals en los siguientes términos: «Los jóvenes cubanos de doce a treinta años de edad se han embarcado en una vida de terrorismo, de bombas y de incendios. Triste resulta para un país que sus jóvenes sientan que tienen que convertirse en terroristas en vez de científicos e ingenieros, poetas y abogados.»

Faure Chomón, que había capitaneado el intento de matar a Batista en el palacio presidencial a plena luz del día, el 13 de febrero de 1958 conduce la instalación de un nuevo frente de lucha en la sierra del Escambray, junto con dieciséis compañeros.

En un documento dado a conocer por el Ejecutivo Nacional del DR y conocido como *Proclama del Escambray* se traza un cuadro de situación al momento (febrero de 1958) y se delinean los pasos que deben seguirse.

El mismo comienza recordando que los hombres que integran las filas del DR no inician en ese acto su resistencia contra la dictadura. Desde el mismo 10 de marzo se viene registrando la clara voluntad de lucha: las sangrientas manifestaciones estudiantiles en la capital, el martirio de José Antonio Echeverría o la abnegada lucha de los obreros azucareros de Santa Clara, que encabezara Fluctuoso Rodríguez. Se recupera el hermanamiento, ya planteado en el documento fundacional, de estudiantes y obreros, campesinos y profesionales, bajo un mismo ideal y bajo una misma bandera.

Una vez más la acción se encuadra en el proceso histórico del pueblo cubano, pero está pensado a su vez como parte del continente americano. Se subraya la continuidad de la guerra del 68 con la del 95, de Céspedes con Martí. La guía de Bolívar y Morazán. Los faros refulgentes del nicaragüense Augusto César Sandino y el venezolano Leonardo Ruiz Pineda, continuidad que se reedita en Guiteras y Echeverría.

Luego se pasa a hacer una evaluación de la guerra de guerrillas que se libra en la sierra del Escambray. Textualmente se afirma: «Es parte de nuestra estrategia general de lucha, no la acción definitiva.» Se anuncia que en un futuro se convocará a todo el pueblo para una huelga general. Y agregan: «no somos ignorantes de que contra los recursos del poder, en los estados modernos, un puñado de valientes, por muchos cientos que sumen, no son suficientes para derrotar totalmente al aparato represivo de la dictadura».

El único responsable de todas las calamidades que se padecen en Cuba es Batista y su pequeña camarilla cívica y militar. Pero la intención no es matar soldados; éstos son hermanos a los que invitan a sumarse a las fuerzas rebeldes. En cambio deben temer los delatores y traidores, pues ellos recibirán el peor castigo.

Con respecto a la revolución, se afirma que la verdadera se hará desde el poder, una vez suprimida la tiranía. Para conducir la verdadera revolución, el DR llama a constituir un partido o movimiento unido de todos los que arriesgan su vida en la lucha antidictatorial, sin sectarismo.

Comparada la dictadura de Batista con la de Machado, esta última parece palidecer: la brutalidad y barbarie ha llegado a expresiones superlativas. Los adversarios heridos en combates son enterrados vivos, los hombres castrados y las mujeres violadas. Estas denuncias equiparan a Batista con los tiempos de Weyler. El DR denuncia que los derechos humanos, reconocidos en la carta de Bogotá y aprobados por la Asamblea General de las Naciones Unidas, son ignorados y sistemáticamente violados.

La tarea entonces, derrotada la dictadura, será el restablecimiento de los derechos conculcados y la efectivización de lo enunciado en la Constitución de 1940: acceso a la educación para todos los jóvenes y trabajo para todos los cubanos. Pero el programa no se detiene en restituir derechos conculcados; es necesario desarrollar el país: con los recursos minerales se promoverá el crecimiento industrial y en defensa de los campesinos se liquidará el latifundismo y se pondrá fin a la geofagia. «Educación, honestidad administrativa, reforma agraria e industrialización: he ahí parte de la gran revolución que hay que hacer en nuestro país una vez derrocada la tiranía».

Desde el poder se proyectará cumplir con el sueño de los precursores independentistas de América. En lo internacional se buscará crear una federación de Repúblicas del Caribe como paso previo a la creación de una Confederación de Repúblicas de América, a los efectos de fundir en un solo territorio el pueblo, que, según Martí, se extiende «desde el río Grande hasta los montes fangosos de la Patagonia».

Batista convoca a una nueva elección presidencial para el 3 de noviembre de 1958. Batista presenta como candidato a Rivero Agüero, mientras por la «oposición» se presentan Márquez Sterling y Grau San Martín; se podría decir que jóvenes y viejos politiqueros dispuestos al colaboracionismo. El Directorio Revolucionario anuncia que los que se presten a la farsa electoral deben ser barridos antes de que se apresten a cohonestar el fraude que se avecina. Por ello el DR llama a desenfundar la boca de sus fusiles para derrocar por la vía armada al gobierno de Batista.

Como era previsible, el resultado es favorable al oficialismo, pero con un índice de abstencionismo importantísimo, que según el corresponsal del *New York Times* alcanzaba al 70 por ciento. Grau, que se coloca tercero, por detrás de Rivero Agüero y Sterling, solicita la anulación de los comicios ante el fraude manifiesto. La Cámara de Diputados da por bueno el resultado y se mantiene el 24 de febrero para hacer el «traspaso» del mando.

El resultado que arrojan las urnas carece de total legitimidad, y se convierte en un factor más de descomposición del gobierno dictatorial de Fulgencio Batista. El boicot a las elecciones del 3 de noviembre de 1958 fue contundente y las expectativas despertadas por el candidato oficialista fueron nulas. La posibilidad de que Rivero Agüero asuma como presidente el 24 de febrero de 1959 se presenta como irreal para todos los actores, incluido los Estados Unidos. La crisis se anuncia tan irreversible como terminal.

En el Pacto de Pedrero, el 1 de diciembre de 1958, el Che Guevara, en representación del Movimiento 26 de Julio, y Rolando Cubela, como integrante del Directorio Revolucionario, sellan un acuerdo de coordinación militar y buscan ser una expresión de «síntesis de cohesión del Movimiento Revolucionario en el frente de Las Villas». Esta lucha convergente del M26 y el DR hermana la sierra del Escambray con la Sierra Maestra, suelda el 26 de Julio en Moncada con el 13 de marzo en el palacio presidencial, el martirio de Frank País y el de José Antonio Echeverría.

El Pacto concluye invitando a las organizaciones «que poseen fuerzas insurreccionales en el territorio» para que se adhieran a este esfuerzo de coordinación revolucionaria.

El Programa del Directorio Estudiantil Universitario fue elaborado el 23 de octubre de 1930. Su lectura permite advertir la continuidad revolucionaria del movimiento universitario gestado en la década de los 20 con el de activa actuación en la caída de Batista.

«Pasados los momentos en que se sobrepuso a la indignación más justa el dolor por la muerte de nuestro compañero Rafael Trejo, parece llegada la oportunidad de decir a todos nuestros propósitos, nuestros ideales, nuestra actitud frente a la protesta del pasado día 30, acto puramente estudiantil, que ahogó en sangre la Policía nacional, no fue más que una etapa del movimiento que desde hace más de siete años alienta, manifiesto y latente, en nuestra Universidad. En eso, como en tantos aspectos, responde Cuba a las inquietudes mundiales de la hora. Quien haya estado atento a la evolución social de la posguerra y de modo especial a la vida de la comunidad hispanoamericana, sabe cómo las masas estudiantiles olvidadas de las viejas, ruidosas e infecundas algaradas han realizado intensa labor de renovación. Convencidos los estudiantes del continente de que la Universidad ha venido siendo durante siglos lugar propicio para la cristalización de las más monstruosas desigualdades; sabedores de que la función docente ha mirado de modo casi exclusivo a la provisión de títulos académicos, armas las más poderosas para la perpetuación de seculares injusticias, y, penetrados, además, de que la cultura que imparte la actual Universidad es socialmente inútil, cuando no perjudicial (inutilidad y perjuicios de que habló agudamente nuestro Martí), se ha impuesto el estudiante nuevo de América la labor rudísima que ya cuenta, para su gloria, con más de una víctima de transformar plenamente la naturaleza de la docencia oficial. En esa labor estuvieron empeñados los más puros y altos representantes de nuestros anhelos colectivos. En ella estuvieron los compañeros que fueron expulsados de la Universidad no hace cuatro años. A esa obra, arrostrando todas las consecuencias, nos damos ahora por entero.

No se oculta a los estudiantes de la Universidad de La Habana, con cuya representación se honra este Directorio, que la responsabilidad que el momento echa sobre sus hombros es de las más comprometidas. Como ha ocurrido en otros países, debe el estudiante de Cuba realizar obra política de importancia innegable. Si la Universidad es centro de reacción y organismo militarizado, es porque la militarización y la reacción son características del actual gobierno cubano.

Conscientes, pues, del papel que la hora nos señala, nuestra voz se oirá un día y otro día, recabando para nuestro pueblo las libertades que la oligarquía ha suprimido: libertad de pensar (censura previa), libertad de reunión (supresión de gremios y asociaciones nacionales y estudiantiles), libertad de locomoción (detenciones ilegales). Ya que ni egoístas en nuestras peticiones ni aislados del medio en que nos desenvolvemos comprendemos que no puede existir una nueva Universidad mientras no exista un Estado de nuevo tipo distinto en lo fundamental del presente, serena, pero enérgicamente, luchará el estudiante de Cuba por la honda transformación social que los tiempos piden e imponen. De hoy en adelante realizará obra política que, por merecer tal nombre, estará bien lejos de los bajos chalaneos de nuestra farsa electoral.

Para llevar a cabo la obra que las circunstancias imponen al estudiante cubano precisa, sin que se abandone ningún campo de actividad cívica, sentar las bases que permitan a la Universidad el cumplimiento de sus verdaderos fines, que la transformen en organismo viviente, en propulsora del progreso común, en vehículo de toda honrada y honda apetencia popular. Urge que la Universidad sea entre nosotros voz de la nueva política y no, como hasta ahora, campo y pasto de los viejos politiqueos. Las reformas que en este manifiesto-programa se piden quieren hacer de la Universidad la célula de la nueva acción civil, la entidad receptora y difundidora de las nuevas corrientes, el órgano de cultura útil al pueblo, que en vano hemos pedido una y otra vez.

Para hacer posible la nueva Universidad y, por ella, la nueva ciudadanía, se hace indispensable que los estudiantes entren a colaborar en su advenimiento con su dignidad de hombres plenamente satisfecha. Esta acción que ahora reiniciamos tuvo inicio ocasional en una protesta en que perdió la vida un compañero queridísimo. El recuerdo de Rafael Trejo, al cual hemos de mantenernos siempre fieles, impone de modo imperativo que, junto a reformas de orden permanente y general, situemos las peticiones que nacen de los hechos dolorosos del día 30. No por circunstanciales tiene para este Directorio menor importancia.

Las reivindicaciones indispensables para que los estudiantes de la Universidad de La Habana reanuden con los profesores la normalidad académica son las siguientes:

a) Depuración de responsabilidades por los hechos del día 30 del pasado septiembre y castigo adecuado de los culpables.

b) Expulsión del Dr. Octavio Averhoff como catedrático de la Universidad de La Habana, y su renuncia como secretario de Instrucción Pública y Bellas Artes.

c) Expulsión del Dr. Ricardo Martínez Prieto, actual rector interino de la Universidad de La Habana.

d) Desmilitarización de todos los centros docentes de la República.

e) Derecho de federación de las Asociaciones Estudiantiles Universitarias y nacionales.

f) Intervención del estudiante en el gobierno de la Universidad.

g) Rehabilitación plena de los estudiantes expulsados con motivo del movimiento universitario de 1927.

h) Plena autonomía universitaria en lo académico, administrativo y económico.

El Directorio Estudiantil declara que todo pacto que excluyera cualquiera de las bases precedentes impediría la transformación básica de la Universidad, verdadero fin último a que todos tienden, traería nuevos males, la reproducción de hechos de triste significado y sería la traición del nuevo espíritu. Sólo sobre estas bases puede llegar para el estudiante, para la Universidad y para Cuba un tiempo mejor.»

# Capítulo 10

## UN 26 DE JULIO

A mediados de 1953 Fidel Castro lidera un grupo de hombres y mujeres dispuestos a enfrentarse a Batista. Convencido de la existencia de condiciones para un levantamiento generalizado de la población en contra del dictador, traza los planes para atacar los destacamentos militares y hacerse así con armas y provocar el estímulo necesario para generar una reacción en cadena que concluya con la caída del régimen. Pero ¿quién era Fidel Castro?

Fidel Castro nació el 13 de agosto de 1926 en una granja de la provincia de Oriente. Sus primeras letras las cursó en una escuela católica en Santiago de Cuba y luego asistió al Colegio de Belén, administrado por los jesuitas y situado en la ciudad de La Habana. El anuario escolar lo describe como un estudiante distinguido, con calificaciones excelentes y con capacidades atléticas. Predicen que será un hombre de acción. En 1945 ingresa a la Universidad de La Habana para estudiar Derecho.

Dos años más tarde interrumpe sus estudios para incorporarse a una expedición que se está preparando en Oriente para desembarcar en República Dominicana y derribar al dictador de la isla, generalísimo Rafael Leónidas Trujillo. La operación reunía unos 3.000 hombres de distintas procedencias caribeñas. En la reunión que realiza la Unión Panamericana en Brasil la delegación dominicana denuncia los planes de invasión. El presidente Ramón Grau San Martín envió varias fragatas para interceptar la expedición. Para evitar la detención, Fidel Castro se arroja por la borda y llega a nado hasta la costa.

Al año siguiente viaja como parte de la delegación estudiantil cubana a Colombia, para sumarse a las protestas contra la Conferencia Interamericana, y el 9 de abril le sorprende el estallido popular que sigue al asesinato de Gaitán y que será conocido con el nombre de Bogotazo. Fidel Castro, que tenía por entonces veintiún años, logró dejar aquel país gracias a la intervención del embajador argentino primero y del embajador de Cuba en Washington después.

Nuevamente abocado a los estudios y a la política universitaria, se matricula con el título en leyes en 1950. En 1948 se había casado con Mirtha Díaz Balart y al año siguiente nace su hijo, llamado también Fidel.

Como militante del Partido del Pueblo Cubano (Ortodoxo) integró la lista de candidatos a diputados para las elecciones de 1952, pero el golpe que dio Batista el 10 de marzo frustró la posibilidad de transitar la vía electoral.

Antes de que concluya marzo, el abogado Fidel Castro, con bufete en la calle Tejadillo 57, se presenta ante el Tribunal de Garantías Constitucionales para denunciar, bajo su exclusiva responsabilidad, que: «Auxiliados por la noche la sorpresa y la alevosía, detuvieron a los jefes legítimos asumiendo sus puestos de mando, tomaron los controles, incitaron a la sublevación a todos los distritos e hicieron llamada general a la tropa que acudió tumultariamente al polígono del campamento, donde la arengaron para que volvieran sus armas contra la Constitución y el Gobierno legalmente constituido. La ciudadanía, que estaba ajena por completo a la traición, se despertó a los primeros rumores de lo que estaba ocurriendo. El apoderamiento violento de todas las estaciones radiales por parte de los alzados, impidió al pueblo noticias y consignas de movilización y resistencia. Atada de pies y manos, la nación contempló el desbordamiento del aparato militar que arrasaba la Constitución, poniendo vidas y haciendas en los azares de las bayonetas.»

Dado que estos y otros hechos que se enumeran están previstos y sancionados por el Código de Defensa Social, considera que el señor Fulgencio Batista y Zaldívar se hace acreedor a más de cien años de prisión.

El tribunal no hace lugar a la petición de Castro y reafirma la jurisprudencia que señala que la revolución es la fuente de la ley. Al respecto dijo Fidel: «No basta con que los alzados digan ahora tan campantes que la revolución es fuente de derecho, si en vez de revolución lo que hay es "restauración", si en vez de progreso, "retroceso", en vez de justicia y orden, "barbarie y fuerza bruta".»

Clausurada la vía electoral y cerrado el camino judicial, sólo quedaba la revolución como alternativa de cambio.

Inspirados en la prédica de Chibás, unos doscientos jóvenes de clase media o trabajadores, liderados por Fidel Castro, se lanzan al asalto de dos cuarteles militares. Aún está fresco el recuerdo de la represión que el 5 de abril se había desatado sobre Rafael García Bárcenas y el MNR, cuando la policía había descubierto el complot en contra de Batista que éstos intentaban poner en marcha. Sin embargo, en la noche previa, Fidel arenga: «Compañeros: Mañana venceréis o seréis vencidos; pero suceda lo que suceda, nuestro movimiento triunfará.» Está convencido de que, como en 1868 y en 1895, será desde Oriente desde donde se vuelva a escuchar el grito de «libertad o muerte». La fecha de asalto al Moncada y a Bayamo se fija en coincidencia con la fiesta de los carnavales, aprovechando que los controles se hallarían más relajados y reeditando los planes de los patriotas de otrora.

El Manifiesto, que se había redactado tres días antes, debía ser propalado por una radioemisora capturada. Se iniciaba así: «En la vergüenza de los hombres de Cuba está el triunfo de la Revolución Cubana». La Revolución Cubana, que era «por la dignidad y el decoro», se presenta como continuidad de la tarea emprendida por Céspedes y Agramonte, Maceo y Martí, Mella y Guiteras, Trejo y Chibás. No se trata entonces de promover una inédita revolución sino de concluir con la emprendida en tiempos de la dominación española por la libertad e independencia, continuada luego en busca de reafirmar la estabilidad política y económica, buscando deshacerse del yugo de las inversiones extranjeras. La lucha incansable de los jóvenes y héroes contra las dictaduras.

El golpe del 10 de marzo es interpretado como la maniobra de una minoría para «hacer creer al pueblo» que la quiebra de las instituciones es capaz de generar el progreso social, garantizar la paz y promover el trabajo. Pero el atraco al tesoro nacional y la estela de sangre que lo sustentan no implica negarse a reconocer también tales antecedentes en gobiernos anteriores. No era difícil inventariar la existencia de sobornos en el Congreso o la presencia de marionetas entronizadas como presidentes. El presente venía a reeditar y potenciar las calamidades del pasado.

Amplios sectores sociales se veían afectados. Los obreros, por la desocupación creciente; los estudiantes, perseguidos y encarcelados; aislados y divididos los partidos políticos. Ante el caos, se convoca al levantamiento de la juventud cubana. Ante la tragedia, los jóvenes del centenario reivindican para sí el sueño martiano. La juventud como vanguardia del pueblo viene a poner su vida al servicio de un ideal.

La revolución en marcha se pronuncia también en materia económica. Consideran fundamental promover el bienestar y la prosperidad, apelando para ello a las riquezas del subsuelo, a la diversificación de la agricultura y a la industrialización. Para la reconstrucción están convocados todos los hombres con virtud, honor y decoro, sean éstos campesinos pobres o altos oficiales de las fuerzas armadas. El punto cinco de la Declaración decía: «No es ésta un revolución de castas».

Finalmente, se pronuncian de manera taxativa por el «respeto absoluto y reverente» por la Constitución de 1940 y en consecuencia por su reestablecimiento como ley fundamental de la nación.

El movimiento que encabeza el joven abogado Fidel Castro, hablando en nombre de la revolución, declara su respeto por los obreros y estudiantes integrantes y define su ideología en base a los discursos de José Martí, las bases del PRC y el Manifiesto de Montecristo. Hace suyo también los programas de la Joven Cuba y del Partido del Pueblo Cubano (Ortodoxo).

Algunos fallos en el ataque al Moncada determinaron que las fuerzas militares reaccionaran con celeridad y después de varias horas de enfrentamiento retuvieran el control. El informe que presentó el coronel Alberto del Río Chariano a la Corte de Urgencia de Santiago de Cuba decía lo siguiente: «Grupos armados provistos de los más modernos instrumentos de guerra trataron de tomar por asalto el fuerte de Moncada. Entre el grupo de bribones había hombres no nacidos en nuestro país; por su tipo y aspecto podían ser mexicanos, guatemaltecos o venezolanos. Aunque muchos sabían que habían venido a esta provincia para desatar una guerra civil, otros habían sido engañados al decírseles que iban a dar un paseo por el fuerte, pero, al advertir que eran llevados a luchar contra los soldados de este regimiento, algunos huyeron y los demás trataron de hacer lo mismo y fueron heridos por sus jefes a causa de su negativa a luchar.» Ciento veinte hombres y dos mujeres debían ser juzgados, pero las fuerzas armadas decidieron aplicar el terror, y muchos fueron ejecutados sumariamente.

El ataque que debía servir como detonante de una amplia insurrección popular para dar paso a una amplia alianza de las clases subalternas, sin plantearse la hegemonía específica de ninguna de ellas, se frustró también en Bayamo.

Llevado ante los jueces, Fidel Castro asumió su propia defensa. Después de describir los hechos, plantea que el derecho sólo está de parte de los revolucionarios y que la sanción que se le quiere imponer, así como el castigo inflingido a sus compañeros, no encuentra argumentos ni en el reino de la razón, ni en la esfera de la sociedad y mucho menos ante el tribunal de la verdadera justicia.

La estrategia que se traza es impugnar a todo el Poder judicial y no al tribunal que lo está juzgando, pues éste se presenta como una pieza más de aquél.

En primer término, la responsabilidad, dirá, le cabe a la oligarquía que servilmente acompañó los designios del dictador. No deja de notar que han existido excepciones honrosas, pero éstas han sido expresiones minoritarias frente a las mayorías «sumisas y ovejunas». La sentencia está dictada de antemano y el proceso no sería otra cosa que poner en escena una comedia destinada a dar visos de legalidad a un proceso viciado de infames irregularidades.

Fidel juzga a sus jueces y a la «justicia» que éstos aplican. Por ello recuerda que él, como simple ciudadano, se había presentado ante los jueces con el Código de Defensa Social en una mano y en la otra un escrito solicitando de uno a ocho años de prisión para los que incurrieron el 10 de marzo en semejante perjurio. La pena exigida para Batista y diecisiete de sus cómplices emanaba de la letra misma de la legislación, que establecía reclusión a quien mediante la violencia pretenda alterar la Constitución del Estado o la forma de gobierno vigente. Sorprendentemente, decía Fidel: «El acusado no era molestado, se paseaba por la república como un amo, le llamaban honorable señor y general, quitó y puso magistrados y nada menos que el día de la apertura de los tribunales se vio al reo sentado en el lugar de honor.»

Si entonces los magistrados no pudieron actuar con rectitud por estar coaccionados por la fuerza, ahora no actuaban bajo circunstancias muy distintas. La justicia, violada entonces, es nuevamente violada ahora. En su alegato cita a José Ingenieros a propósito de que en el lenguaje vulgar se puede dar el nombre de revolución al cambio de hombres en el gobierno, pero ése no puede ser el criterio que se asuma desde la filosofía de la historia. Un asalto nocturno a mano armada como el del 10 de marzo, dice Fidel, no da cuenta del significado radical del término revolución; lejos está ese hecho delictivo de poder fundar entonces derecho.

La mayoría de los partidos tradicionales no han jugado un papel mucho más digno. Los liberales, demócratas y republicanos, más tarde o más temprano se adhirieron al golpe. Sin atenuantes prosigue su denuncia puntillosa de los crímenes y torturas producidos por la dictadura. Hasta el cardenal Arteaga fue víctima de estos tratos. En la comparación que fija con los criminales nazis, hasta éstos salen favorecidos. «Hitler asumió la responsabilidad por las matanzas del 30 de junio de 1934, diciendo que había sido durante veinticuatro horas el Tribunal Supremo de Alemania»; en cambio, los esbirros de la dictadura sindicaban a la oposición como la propia autora de los secuestros, torturas y asesinatos. Nunca fue encontrado ni juzgado un solo responsable.

La propia Constitución de 1940, en su artículo 40, afirma, admite la legitimidad a resistir frente al ataque de los derechos y una larga tradición reconoce el derecho a la insurrección frente a la tiranía.

Cita entonces «El Espíritu de las Leyes» de Montesquieu, en donde se establece la existencia de tres tipos de gobierno: el republicano, el monárquico y el despótico. En este último, quien manda lo hace sin ley y sin regla, en función de su voluntad y capricho. Por ello, a diferencia de la democracia en la que se requiere de la virtud para su funcionamiento, y del honor, en el caso de la monarquía, «hace falta el temor en un gobierno despótico», dice Montesquieu, y agrega: «la virtud no es necesaria y en cuanto al honor sería peligroso».

El derecho a la rebelión contra el despotismo ha estado presente en todos los tiempos y son abundantes los ejemplos que Fidel da desde la China antigua hasta los reformadores escoceses del siglo XVII. Cita también la Declaración de los Derechos del Hombre y del Ciudadano: «Cuando el gobierno viola los derechos del pueblo, la insurrección es, para éste, el más sagrado de los derechos y el más imperioso de los deberes».

La condena de Batista aparece escrita con tinta indeleble. «Dante dividió su *Infierno* en nueve círculos: puso en el séptimo a los criminales, puso en el octavo a los ladrones y puso en el noveno a los traidores. ¡Duro dilema el que tendrían los demonios para buscar un sitio adecuado al alma de este hombre..., si este hombre tuviera alma! Quien alentó los hechos atroces de Santiago de Cuba no tiene siquiera entrañas.»

El extenso alegato sólo pudo ser reproducido de manera clandestina debido a la censura, y llevaba por título «La Historia me absolverá». Se citan las palabras de José Martí en su *Libro de Oro*: «Un hombre que se conforma con obedecer leyes injustas y permite que le pisen el país en que nació los hombres que se lo maltratan, no es un hombre honrado... En el mundo ha de haber cierta cantidad de decoro, como ha de haber cierta cantidad de luz. Cuando hay muchos hombres sin decoro, hay siempre otros que tienen en sí el decoro de muchos hombres. Ésos son los que se rebelan con fuerza terrible contra los que le roban a los pueblos su libertad, que es robarles a los hombres su decoro. En esos hombres van miles de hombres, va un pueblo entero, va la dignidad humana...». Castro cierra su defensa, no pidiendo su absolución, sino solicitando compartir la prisión con sus compañeros, pues es concebible que «los hombres honrados estén muertos o presos en una República donde está de presidente un criminal y un ladrón».

Los jueces lo declaran culpable y lo sentencian a quince años de prisión a ser cumplidos en la isla de Pinos.

El 30 de julio de 1953 el informe del fiscal presentaba la causa contra los asaltantes del cuartel de Moncada en los siguientes términos:

«Sr. Presidente del Tribunal de Urgencia
Ciudad
Señor:

Tengo el honor de poner en su conocimiento que, practicada una investigación amplia y minuciosa, hasta el día de hoy, en relación con los tristes sucesos ocurridos en la mañana del 26 de julio del presente año, en el cual grupos armados con instrumentos de guerra modernísimos trataron de tomar por asalto el cuartel de Moncada, dio por resultado lo siguiente:

Que, aprovechando las fiestas carnavalescas que se celebran tradicionalmente por estas épocas en la ciudad de Santiago de Cuba, escogieron la fecha del día 26 del actual sobre los claros del día, elementos dirigidos por CARLOS PRÍO SOCARRÁS, AURELIANO SÁNCHEZ ARANGO, EUFEMIO FERNÁNDEZ, un tal FIDEL CASTRO, que frecuenta La Habana y Santiago de Cuba, JUAN MARINELLO VIDAURRETA, BLAS ROCA, EMILIO OCHOA y otros dirigentes más, líderes de los Partidos Comunistas, Auténtico y Ortodoxo, para unirse en esta ciudad y tomar por asalto el cuartel de Moncada, habiendo fijado estos grupos como centro de operaciones una casa situada en la carretera que se dirige a la playa Siboney, barrio de Sevilla, en este término, para combinar el ataque a dicho cuartel y tomar la población sin escrúpulos ni miramientos de las costumbres o las leyes que rigen las guerras, con instintos desprovistos de toda piedad y respeto para enfermos y hospitales.

...

Que según aparece en las pruebas de convicción ocupadas, que se encuentran a disposición de este tribunal en el cuartel Maestre de este Mando, casi todas las armas son procedentes de Montreal, Canadá, lo que se justifica con las envolturas y cajas de cartuchos que contenían el parque, siendo evidente que tal reunión de Montreal no fue más que un acuerdo insurreccional para atacar con cubanos y extranjeros al territorio de nuestra Patria, agrediendo con esa conducta el honor de Cuba.»

# Capítulo 11

## EL MOVIMIENTO REVOLUCIONARIO 26 DE JULIO

El 1 de noviembre de 1954 Batista había sido elegido como presidente en una elección sin oposición. Situado en una posición de fuerza, y con el propósito de distender la atmósfera política local, sancionó una amnistía amplia para todos aquellos adversarios políticos que habían sobrevivido a las distintas masacres. Entre los beneficiados por el gesto presidencial se encuentran los asaltantes al Moncada, incluyendo a Fidel Castro, quien parte al exilio con su esposa Mirtha y su hijo Fidel.

Antes de partir declara al semanario *Bohemia* que no tiene intenciones de crear un nuevo partido político: «no abandonamos nuestros planes de cooperar por la unidad en el Partido Ortodoxo». Considera que la designación de Raúl Chibás, hermano del malogrado Eduardo Chibás, es un acto sensato, «aunque no pueda decirse que sea un hombre de larga experiencia política». Cierra la entrevista opinando que todas las fuerzas sanas del país deberían actuar bajo la misma bandera.

Los planes que Fidel puso en ejecución en México ya habían sido elaborados durante su presidio en la isla de Pinos. En el reagrupamiento que se hace en el exilio se suma un joven médico argentino, Ernesto Guevara, apodado El Che. Fidel discutió con ellos los planes al tiempo que el gobierno cubano vigilaba y presionaba para abortar el intento. El coronel Alberto Bayo, que había participado en la Guerra Civil Española en el bando republicano, fue el encargado de brindar instrucción militar al nuevo contingente. Su formación en la Escuela Militar en España y su experiencia en el terreno durante la lucha antifranquista fueron sumamente valiosos para el núcleo congregado en torno de Fidel Castro. Éste vuela a Miami y consigue allí importantes contribuciones de sus compatriotas exiliados. Al regreso se reúne con Bayo y le solicita que se dedique con exclusividad a la tarea y le invita a participar de la expedición con la expectativa de que «ganaremos en tres o cuatro meses». Bayo vendió su fábrica de muebles, la que no pudo cobrar nunca, pero se mantuvo finalmente en México y se convirtió en el instructor de futuras expediciones.

En la Navidad de 1955 circulaban numerosos ataques hacia Fidel, calificándolo de politiquero y pedigüeño, y éste responde con un extenso escrito titulado «Frente a todos». Allí recordaba que en el Palm Garden de Nueva York había hecho explícito lo que consideraba los objetivos del Movimiento: «El pueblo cubano desea algo más que un simple cambio de mandos. Cuba ansía un cambio radical en todos los campos de la vida pública y social. Hay que darle al pueblo algo más que libertad y democracia en términos abstractos...». Afirmaba que el Estado está obligado a proporcionar trabajo y alimentos e insistía con el ideario martiano y con el espíritu de sacrificio que éste encarnaba, por ello reeditaba sus palabras: «la patria no es de nadie y si es de alguien será, y esto sólo en espíritu, de quien la sirva con mayor desprendimiento».

Su programa económico pasaba entonces por sustraer los recursos que los sectores de la especulación y la corrupción obtenían para sí; por ello refiere que el pueblo sabe que con los millones sustraídos por los *trusts* extranjeros, más los que roban los malversa-

*Fidel Castro y el Che Guevara durante su estancia en México.*

dores, más los que disfrutan los parásitos, más los que se apropia el juego, el vicio y la bolsa negra, «Cuba sería uno de los países más prósperos y ricos de América, sin emigrados, ni desocupados, ni hambrientos, ni enfermos sin cama, ni analfabetos, ni mendigos...». La revista *Bohemia*, dirigida por Miguel Ángel Quevedo, se convirtió en un importante vehículo de las ideas expresadas por el Movimiento 26 de Julio.

El 19 de marzo de 1956 decidió desligarse del Partido Ortodoxo y de cualquier otro partido político tradicional, anunciando la formal y definitiva organización del Movimiento 26 de Julio, teniendo como principal objetivo el derrocamiento de Batista, el castigo a los criminales y corruptos y la reforma de Cuba. Se definía entonces como el aparato revolucionario del chibasismo, reivindicaba su raíz en las masas, pero se alejaba entonces de las internas del Partido, que lo dividían en mil pedazos hasta la impotencia. La convicción respecto del triunfo en ningún momento le abandonó.

Siempre mostrando un estilo comunicativo claro y extremadamente argumentado frente a las masas, expresaba de manera condensada la polarización que se trataba de instalar: Frente al 10 de marzo, el 26 de julio. De un lado quedaba el gobierno, del otro la oposición. Uno encabezado por el general Fulgencio Batista, el otro por el abogado Fidel Castro.

Ya en la *Historia me absolverá*, que circulaba como folleto conteniendo las líneas directrices del nuevo movimiento, se daba contenido a la alternativa planteada. En materia política, el reestablecimiento de la Constitución de 1940 y el establecimiento de «un gobierno de elección popular». Hacia el campo se reivindicaba la necesidad de limitar los latifundios, implantar una reforma agraria multiplicando el número de pequeños propietarios y el fomento de cooperativas agrícolas. La propuesta más radical se refería al tratamiento del capital extranjero, ya que se propone la nacionalización de las empresas de electricidad y teléfonos en manos de inversores norteamericanos.

Para implantar estas medidas se reivindicaba la figura de Chibás y la identidad ortodoxa de las masas; por ello, el M-26 en su documento de ruptura con la estructura partidaria se definió como «la ortodoxia sin una dirección de terratenientes, el Gerardo Vázquez; sin especuladores de Bolsa, sin magnates de la industria y el comercio, sin abogados de grandes intereses, caciques provinciales, sin politiqueros de ninguna índole».

Tomando distancia de las camarillas políticas, el M-26 viene a ofrecer la redención para la clase obrera, tierra a los campesinos, regreso para los que tuvieron que emigrar por falta de trabajo y de justicia para los olvidados. En pocas palabras, el Movimiento 26 de Julio venía a ser: «el porvenir sano y justiciero de la patria, el honor empeñado ante el pueblo, la promesa que será cumplida».

Por su parte, el 4 de abril de 1956 es descubierta una conspiración cívicomilitar para derrocar a Batista. Los líderes militares eran Ramón Barquín y Enrique Borbonet y el grupo civil se denominaba Montecristi. En el mismo mes un grupo de hombres intentó reeditar la experiencia del Moncada dirigiéndose al Fuerte Goicuría en Matanzas. Estos movimientos que fracasaron eran para Batista maquinaciones puestas en marcha por el ex presidente Prío Socarrás.

En tanto, en México, por presión del gobierno cubano, el 24 de junio eran detenidos por la policía Fidel Castro, Ernesto Guevara y otros veintidós miembros del Movimiento 26 de Julio, que estaban siendo entrenados por el coronel Alberto Bayo. Recuperada la libertad, Castro envía una carta al director de la revista *Bohemia* en la que califica de calumnia la imputación que se le ha hecho de miembro del Instituto Mexicano-Soviético y militante del Partido Comunista.

Castro, exiliado en México, se entrevista con Prío, exiliado en Miami, y éste promete ayudarle económicamente para la adquisición de un yate que permita transportar a los revolucionarios hasta Cuba.

Tras la adquisición del *Granma* (éste es el nombre del yate) y para escándalo de Bayo, Fidel Castro anuncia abiertamente que antes de fin de año regresará a Cuba para derrocar a Batista o morir como un mártir en la empresa.

En efecto, el 2 de diciembre de 1956 ochenta y dos tripulantes a bordo del *Granma* arriban a las costas orientales de Cuba, en su mayoría descompuestos por las características de la travesía. No llegan al lugar exacto que se habían propuesto, y además lo hicieron con retraso, lo que provoca un desfase con el levantamiento antibatistiano que el 30 de noviembre se había realizado en Santiago de Cuba en apoyo de la expedición que traía a Fidel y Raúl Castro, a Camilo Cienfuegos y a Ernesto Guevara, entre otros.

Violentamente reprimido el estallido en Santiago de Cuba y advertida la aviación de Batista de la presencia de los rebeldes, su bombardeo y hostigamiento diezma las fuerzas revolucionarias, al punto de que sólo queda una partida de apenas una docena de hombres. El gobierno difunde la especie de que Fidel Castro ha muerto. Aunque Herbert L. Matthews, del *New York Times*, entrevistó a Castro en la Sierra Maestra el 17 de febrero de 1957 y publicó su historia diez días más tarde, de manera oficiosa se seguía manteniendo en los círculos gubernamentales la versión anterior.

El pequeño grupo se instala en la Sierra Maestra. El primer campesino que se unió oficialmente a la guerrilla fue Guillermo García, en diciembre de 1956, y la actuación de éstos comienza a ocupar

*Fidel Castro al frente de una columna de guerrilleros.*

un lugar creciente en la imaginación de los hombres del campo: «Cuando llegamos a la Sierra Maestra —relata Castro— fusilamos al capataz de un rancho que había acusado a arrendatarios y campesinos de simpatizar con la causa rebelde, y que había contribuido a que las posesiones de su patrón aumentasen de 10 acres a 400, apoderándose de la tierra de los denunciados. Así, pues, lo juzgamos y pasamos por las armas, ganándonos de esta manera el afecto de los campesinos». No han faltado las comparaciones con Robin Hood. En Alegría del Pío se produce el primer combate y el primer revés de los expedicionarios.

Trujillo, enfrentado con Batista, se entrevista con Prío y convierte a la República Dominicana en la base de entrenamiento de un grupo dispuesto a invadir la isla, mientras que la emisión radiofónica de «La Voz Dominicana» critica duramente a Batista. Días más tarde, el dictador dominicano se reconcilia con su homónimo cubano y expulsa a los voluntarios que estaban entrenando.

El gobierno ofrece recompensa por los rebeldes: «Por este medio se hace saber que toda persona que facilite una información que conduzca al éxito de una operación contra cualquier núcleo rebelde comandado por Fidel Castro, Raúl Castro, Crescencio Pérez, Guillermo González o cualquier otro cabecilla será gratificada de acuerdo con la importancia de la información, bien entendido que nunca será menor de 5.000 pesos. Esta gratificación oscilará de 5.000 hasta 100.000 pesos, correspondiendo esta última cantidad, o sea 100.000 pesos, por la cabeza de Fidel Castro. Nota: el nombre del informante no será nunca revelado.»

En marzo de 1957, desde Santiago de Cuba se envían armas y un contingente de hombres para reforzar las filas del ejército rebelde. Éste recibe también el apoyo de un sector campesino que tiene una experiencia preexistente de lucha contra los latifundistas, contra el ejército regular y los intereses económicos que apoyan a la dictadura. Es un sector compuesto básicamente por pequeños campesinos cafetaleros que producen en su reducida parcela, con la expectativa de cubrir las necesidades mínimas de subsistencia; también suelen vender su fuerza de trabajo durante la zafra para completar sus ingresos. Hay además una población flotante que se desplaza del llano a la sierra en busca de trabajo y un grupo de «precaristas», que son aquellos que se instalan en tierras marginales fiscales o privadas, tras la zafra. Es justamente este grupo el más expuesto a la represión de los grupos armados por los terratenientes, que los expulsan constantemente apelando a la quema de sus ínfimas producciones, destruyendo sus bohíos o llegando más de una vez al asesinato.

En mayo de 1957 también en el Oriente desembarca una nueva expedición para incrementar las fuerzas guerrilleras. Las soldados del régimen sorprenden dormidos a los noveles integrantes y sin mediar lucha los eliminan a todos.

Santiago de Cuba no deja ser un bastión de la resistencia antibatistiana. En enero de 1957, una manifestación de mujeres vestidas de negro portando carteles reclama el fin de la represión. El 30 de julio es asesinado, junto con otro compañero, Frank País. Era uno de los cuadros más importantes del Movimiento 26 de Julio, Fidel Castro lo había designado jefe de todos los «grupos de acción» en Cuba cuando había tenido que partir para México en 1955. Al planificarse el retorno de Fidel y los demás miembros del Ejército Rebelde, fue el encargado de las acciones comando que se desarrollaron en Santiago de Cuba el 30 de noviembre y 1 de diciembre de 1956, en apoyo al desincronizado desembarco del *Granma*. Este maestro baptista era un verdadero símbolo de la lucha antibatistiana; por ello la reacción se dio sin demora: una multitudinaria marcha que se extiende a lo largo de catorce cuadras recorre la ciudad y se produce una huelga general espontánea en Santiago, que contó además con la adhesión de los comerciantes, que cierran las puertas de sus negocios. Un grupo de mujeres afectadas de manera directa por la represión que se ejerce sobre sus hijos, esposos o compañeros se entrevista con el embajador de los Estados Unidos para solicitar el retiro del apoyo de ese país a Batista.

Si se comparan los 30.000 efectivos del ejército oficial con los 170 hombres armados que en marzo de 1958 disponía el Ejército Rebelde, la asimetría no podía alimentar ninguna esperanza para estos últimos; sin embargo, la composición y actitud de las fuerzas armadas hacían que la abrumadora superioridad numérica no se tradujera en igual proporción en términos cualitativos.

El Ejército de Cuba estaba bajo el mando de una sola familia: el general Francisco Tarbenilla Dols, hombre de confianza de Batista, ocupaba el lugar más alto de la jerarquía castrense; Carlos Tarbenilla Dols, hijo de éste, era el jefe de la Fuerza Aérea; otro hijo, Francisco Jr., comandaba la caballería blindada; el brigadier Alberto del Río Chaviano, cuñado del general, tenía el mando del Moncada y del frente en la provincia de Oriente.

A la red familiar de control sobre la cúpula del Ejército se le superponía una trama de negocios vinculados a lavadoras, frigoríficos, televisores y otros aparatos electrodomésticos, que ingresaban directamente por vía aérea a la base militar del Campamento de Columbia, libre de derechos aduaneros, para ser luego distri-

*Fidel Castro en Sierra Maestra (1962).*

buidos y vendidos en tiendas y almacenes de un hombre conocido como socio de la familia Tabernilla. Mientras la alta oficialidad tenía acceso a recursos «extraordinarios», los reclutas eran mayormente de origen campesino y recibían una paga devaluada.

Un nuevo golpe psicológico se produjo cuando tres jóvenes norteamericanos, hijos de funcionarios de la base naval de la bahía de Guantánamo, se unieron a las minúsculas fuerzas del jefe rebelde.

Otra expedición entrenada por Alberto Bayo en Miami, financiada por Prío, llega a bordo del *Corinthia*, pero son tomados prisioneros y fusilados, logrando escapar sólo diez.

La popularidad del M-26 y de Fidel Castro continuaba en ascenso y alcanza la adhesión no sólo de los campesinos sino también de amplios sectores acomodados de la sociedad cubana. El periodista Jules Dubois refiere que una noche fue invitado a participar de un banquete en el Country Club de aquella ciudad. Asistió el juez Manuel Urrutia, el presidente de la Cámara de Comercio, Daniel Bacardy; el rector de la Universidad de Oriente, el reverendo Chabebe, Fernando Ojeda, destacado exportador de café. También estuvieron presentes los presidentes del Rotary Club, del Club de Lones, de la Asociación Médica y del Colegio de Abogados. En un extremo había una silla vacía con un cartel que indicaba reservado; uno de los comensales se acercó hasta el periodista norteamericano aclarándole que el invitado ausente era de nombre Fidel Castro.

El 12 de julio de 1957 se redacta el *Manifiesto de la Sierra Maestra* en el que se propone: 1) La formación de un Frente Cívico Revolucionario; 2) Designar a una figura para presidir el futuro gobierno provisional; 3) Exigir la renuncia del dictador; 4) Pedir al gobierno de los Estados Unidos que suspenda los envíos de armas al actual régimen de terror; 5) No aceptar ningún tipo de junta militar que asuma el gobierno provisional; 6) Que los militares no son los enemigos del pueblo; 7) Que el gobierno provisional se compromete a celebrar elecciones para todos los cargos del Estado, y 8) Ajustar la labor del gobierno provisional a un programa que contemple: la libertad inmediata para todos los presos políticos, libertad de prensa, democratización de la vida sindical, campaña contra el analfabetismo y en favor de la educación cívica, una reforma agraria que distribuya las tierras baldías y promueva la tenencia de las pequeñas parcelas, y aceleración del proceso de industrialización y creación de nuevos empleos.

Los emigrados cubanos convocados por el doctor Lincoln Rodón, ex presidente del Congreso, redactan un «*Documento de Unidad de la Oposición Cubana frente a la Dictadura de Batista*», que será firmado por representantes de siete grupos. El lugar de la cita fue Miami Beach.

Fidel Castro, en nombre de la Dirección Nacional del M-26, desautoriza la inclusión del mismo en el documento de Miami y responde a los señores dirigentes del Partido Revolucionario Cubano, Partido del Pueblo Cubano, Organización Auténtica, Federación Estudiantil Universitaria, Directorio Revolucionario y Directorio Obrero Revolucionario. La principal crítica que se plantea es que se han ignorado una serie de puntos que se recogieron en el *Manifiesto de la Sierra Maestra*. Pero también se señala que quienes actúan en el extranjero ignoran la situación real por la que atraviesan las fuerzas políticas y revolucionarias que se oponen a Batista. Entonces se subraya la importancia de la unidad, pero también la forma en que ésta se debe canalizar y las bases sobre las cuales debe ser construida.

De manera puntual se señala que la anarquía es el peor enemigo de la revolución; por tanto el M-26 reclama que se le reconozca como el encargado de mantener el orden público y reorganizar los institutos armados de la República. Para ello se sostiene que es la «única organización que posee milicias organizadas disciplinadamente en todo el país, y un ejército en campaña con veinte victorias sobre el enemigo», y que sus combatientes han demostrado un amplio espíritu de caballerosidad.

Considera que por parte de la Junta de Liberación que suscribió el documento de Miami Beach hay una subestimación de la importancia que desde el punto de vista militar tiene la lucha en Oriente, ya que en la Sierra Maestra se ha pasado de la fase de la guerra de guerrillas propiamente dicha a una guerra de columnas. Todo esto gracias también a que la población entera está sublevada.

La oposición parecía dividida entre la Junta de Liberación, que proponían como presidente provisional a Felipe Pazos, y el M-26, que contraponía a Manuel Urrutia por «ser el digno magistrado de la audiencia de Oriente», que en nombre de la Constitución declaró que los expedicionarios del *Granma* no habían cometido delito.

Fulgencio Batista sentía que era el principal beneficiario de esta división, pero el proceso que se estaba viviendo en realidad implicaba una problemática distinta. El movimiento de masas estaba en ascenso, la agitación y resistencia habían provocado una generalizada elevación de la conciencia de la población y lo que estaba en disputa era quién conduciría la heterogénea pero férrea corriente generada; una vez más la oposición se presentaba en una clara polarización dicotómica que, más que expresarse en las características individuales de Pazos y Urrutia, la simbolizaba Miami Beach o la Sierra Maestra: revolución imaginaria o revolución real.

Con fecha de noviembre de 1956 se publica «NUESTRA RAZÓN», un MANIFIESTO-PROGRAMA DEL MOVIMIENTO 26 DE JULIO que fue redactado por Mario Amadeo. Como se desprende de su lectura, el texto hace alusión a hechos correspondientes al año siguiente (1957). Con el Documento, como con su autor Fidel Castro, mantuvo una relación problemática.

«Este documento se publica en medio del fragor de la lucha. Como vanguardia de la Revolución, el MOVIMIENTO 26 DE JULIO se bate en todos los frentes con las fuerzas mercenarias de la Dictadura.

En las alturas indómitas de la Sierra Maestra, Fidel Castro, con una avanzada de la juventud cubana, escribe una epopeya real de patriotismo y de gloria.

Aparentemente, en esta etapa revolucionaria de Cuba se han invertido los *términos,* la acción se ha adelantado a la exposición y desarrollo de las ideas.

Pero en realidad no es así. Las ideas que constituyen la razón fundamental de esta lucha existen ya desde el origen nacional en la conciencia del pueblo *Cubano,* son las mismas que inspiraron nuestras guerras libertadoras, y que alcanzan luego acendrada y cabal expresión en el pensamiento político del mártir de Dos Ríos.

El Martí, la fuente ideológica del MOVIMIENTO 26 DE JULIO.

*Ideología*

Una constitución es una ley viva y práctica que no puede construirse con elementos ideológicos.—Martí.

En materia de definiciones ideológicas, el MOVIMIENTO 26 DE JULIO prefiere enviar las fórmulas abstractas o los clisés preestablecidos. La ideología de la Revolución Cubana debe nacer en las propias raíces y circunstancias del pueblo, y el país no deberá ser algo importado de otras latitudes, ni a lo cual se llegue por conducto de laboreo metal para aplicarlo después a lo existente. Todo lo *contrario,* habrá de ser un pensamiento que brote de la tierra y de la realidad humana de Cuba.

No obstante, partiendo de ese mismo principio y tomando en cuenta los fines esenciales ya expresados, puede definirse al MOVIMIENTO 26 DE JULIO como guiado por un pensamiento democrático, nacionalista y de justicia social.

Estos conceptos, sin embargo, necesitan ser precisados en su sentido, pues las categorías políticas son objetos frecuentes de tergiversación o engaño y en los últimos lustros se han cometido muchos crímenes en nombre de esas palabras.

En cuanto a la democracia, el MOVIMIENTO 26 DE JULIO considera aún válida la filosofía jeffersoniana y suscribe a plenitud la fórmula Lincoln de "gobierno del pueblo, por el pueblo y para el pueblo". La democracia no puede ser así, el gobierno de una raza, ni de una clase, ni de una región, sino de todo el pueblo. La Revolución Cubana es democrática, además, por tradición misma de los fundadores de la patria. "Todos los hombres somos iguales", se leía en la proclama del 10 de Octubre y este criterio aparece después sostenido en el manifiesto de Montecristi y en todos los documentos y Constituciones de la República.

Respecto al nacionalismo, éste es brote natural de las circunstancias geográficas e históricas que rodean el nacimiento de Cuba al status independiente. Es el "querer ser nación de un pueblo" que ha sido capaz de conquistar su libertad. Cuba, que alcanzó su independencia nominal en 1902, no la ha alcanzado aún en lo económico. Las tierras, los minerales, los servicios públicos, las instrucciones de créditos, los medios de transporte, en una palabra, los más importantes de los bienes nacionales, revierten hoy el mayor porcentaje de sus utilidades hacia el exterior. La posición nacionalista en este caso consiste en rectificar esa injusta situación, haciendo que el país reciba el beneficio que le corresponde de sus propias riquezas y medios económicos. Como complemento adecuado a ese empeño, el nacionalismo tendrá expresión también en las áreas de la educación y la cultura.

Por justicia social entiende el MOVIMIENTO 26 DE JULIO el establecimiento de un orden tal en que todos los derechos inalienables de la persona humana-políticos, sociales, económicos y culturales— estén plenamente satisfechos y garantizados.»

# Capítulo 12

## 1958

1958 se convierte en el año decisivo en el ascenso de la lucha contra Batista. Se trata de una coyuntura muy dinámica, en la que se replantean tácticas. El Movimiento 26 de Julio abandona su política de incendiar las plantaciones de azúcar por ir generando un sentimiento antipopular, pero se aumentan los sabotajes a los medios de transporte y comunicación. También se va a dar una realineación en las coaliciones opositoras que revelan lo complejo y fluido de la situación.

El 12 de marzo, desde la Sierra Maestra se lanza un manifiesto en el que aparece el diagnóstico elaborado por la Dirección Nacional del Movimiento. Allí se señala, entre los sesgos más significativos: 1) Que los signos del resquebrajamiento de la dictadura son evidentes, lo que conlleva a una modelación de la conciencia nacional y a la praxis de todos los sectores sociales, políticos, culturales y religiosos del país. Se ha entrado en la etapa final de la lucha contra Batista; 2) El golpe decisivo será asestado por una huelga general revolucionaria, secundada por la acción armada; 3) Tanto una como otra deben proseguir en caso de que una junta militar intente apoderarse del gobierno; 4) Se ratifica al doctor Urrutia como la persona adecuada para presidir el gobierno provisional; 5) Se genera una referencia concreta para organizar y dirigir la huelga en cada uno de los sectores y convertir a estas organizaciones en el centro de un poder alternativo al Estado. El Frente Obrero Nacional se debe hacer cargo de los trabajadores y se anuncia que serán éstos los que representen al proletariado ante el futuro gobierno provisional revolucionario. Los sectores profesionales, comerciales e industriales estarán a cargo del Movimiento de Resistencia Cívica. La huelga estudiantil será conducida por el Frente Estudiantil Nacional y los órganos de difusión clandestina orientarán e informarán al pueblo.

Todas estas medidas iban encaminadas a preparar la huelga general que aún no tenía fecha. Sin embargo, el manifiesto fija que a partir del 1 de abril queda prohibido el tránsito por carretera o ferrocarril en la provincia de Oriente, como así también queda prohibido el pago de impuestos al Estado, las provincias y el municipio en todo el territorio nacional. Todo esto se refuerza comunicando que, «a partir de este instante, el país debe considerarse en guerra total contra la tiranía». Las armas que hoy tiene en su poder el Ejército, la Marina y la Policía son propiedad del pueblo y por tanto deben estar al servicio de éste. Por ello se esperará hasta el 5 de abril «para iniciar la campaña de exterminio contra todo el que sirva con las armas a la tiranía. A partir de esa fecha, la guerra será implacable contra los militares para recuperar esas armas, que son de la nación y no del dictador».

Batista se apresta a evitar la huelga general; para ello publica un decreto ley que autoriza el despido de cualquier trabajador que no se presente a cumplir sus obligaciones, con la pérdida de todos los beneficios sociales y sin indemnización. Por su parte, Castro llamó a donar un día de jornal para la Revolución. Finalmente, la huelga se inicia espontáneamente en el sector estudiantil tras caer muertos algunos estudiantes pertenecientes a la Escuela Superior de Santiago de Cuba y Pinar del Río. El Movimiento de Resistencia Cívica y el M-26 coordinan su propaganda anunciando que: «La huelga general empezará en cualquier momento; todo el mundo tiene que estar preparado». Junto con otras instrucciones, se ordena no volver al trabajo hasta que caiga la tiranía; se invita a ser solidarios con los revolucionarios que necesitan refugio y se dan los mensajes para preparar cócteles que deben ser lanzados contra los vehículos de la tiranía: «los cócteles se preparan así: llena una botella grande con tres cuartas partes de gasolina y el cuarto restante con aceite de motor quemado (se obtiene en los garajes). Se tapona herméticamente la botella y se la envuelve con una estopa amarrada a la misma. Se rocía la estopa con gasolina. Al momento de lanzarla se da fuego a la estopa».

Faustino Pérez, como delegado de la Dirección Nacional del Movimiento 26 de Julio, tras reunirse con Castro en la Sierra Maestra publica una declaración, en la que se diferencia de los comunistas que gozan de una importante inserción en el movimiento obrero, textualmente dice: «El presente Movimiento Revolucionario, hecho para suprimir la tiranía totalitaria y establecer los elementales derechos humanos al pueblo cubano, está muy lejos de ser comunista.» Agrega también que, tal como se demuestra en los territorios liberados, el Movimiento 26 de Julio es la garantía de la observancia de la ley, el respeto a los derechos humanos, a la vida y a la propiedad en beneficio del conjunto.

El 9 de abril de 1958, pocos minutos antes de iniciarse la huelga general, ésta es transmitida de manera dificultosa y en muchos casos, dadas la circunstancias, en forma confusa a las bases. Los dirigentes sindicales que responden a la línea del secretario general de la CTC, Eusebio

*Camilo Cienfuegos.*

Mujal, desconocen la convocatoria; la organización auténtica de Prío se resiste a cooperar y los comunistas consideran que ésta ha sido llamada erróneamente de manera unilateral. Fulgencio Batista, un coleccionista de biografías de Napoleón Bonaparte, sostiene con ironía que quienes esperaban hacer de la huelga un Waterloo se encontraron con un Dunkerque.

En La Habana no hubo huelga general y esta situación se reprodujo en varios puntos del país. La policía tenía órdenes de no hacer prisioneros ni atender heridos; la única alternativa que quedaba se ejemplifica en que en la madrugada del día siguiente noventa y dos cuerpos acribillados por las balas del régimen habían sido depositados en la morgue. Frente al fracaso de la huelga, Batista decide lanzar una ofensiva general sobre la zona de actuación de la guerrilla rural.

En mayo Richard Nixon, por entonces vicepresidente de los Estados Unidos, visitó distintas capitales de América del Sur; en la Universidad de San Marcos en Lima, los estudiantes lo declararon persona no grata. En Venezuela, se realizó una enorme movilización de repudio y el presidente Eisenhower dispuso el envío de tropas aerotransportadas para rescatarlo. Además, una huelga general en enero había derribado la dictadura de Marcos Pérez Jiménez. Se elige simbólicamente a Caracas para firmar el 20 de junio de 1958 el Pacto que suscriben: por el M-26 lo hace Fidel Castro, Carlos Prío Socarrás por la organización Auténtica, participando otras organizaciones opositoras a Batista, como el Directorio Revolucionario, Unidad Obrera, Partido Cubano Revolucionario (A), FEU, Grupo Montecristi, Movimiento Resistencia Cívica, así como también Gabino Rodríguez Villaverde, en su calidad de ex capitán del ejército, y el doctor José Miró Cardona, como coordinador secretario general del Frente Cívico Revolucionario. Los comunistas del PSP no son incluidos.

El texto del Pacto recordaba que desde el golpe del 10 de marzo, en el que se rompió el proceso democrático en Cuba, «el pueblo se ha enfrentado con heroísmo y decisión a las fuerzas de la tiranía», empleando «todas las formas de lucha». Desde las manifestaciones estudiantiles hasta combates como los de Santo Domingo en la Sierra Maestra, el costo pagado por los cubanos para alcanzar su libertad era elevadísimo: ríos de sangre y centenares de muertos, heridos y prisioneros. A la protesta estudiantil y a la lucha guerrillera se le suman las huelgas obreras, las «tres grandes conspiraciones militares» —la del coronel Ramón Barquín, agregado militar en Washington, en abril de 1955; la de Reynal García y el ataque al cuartel Goicuría, y el levantamiento de la guarnición marina de Santiago de Cuba el 3 de septiembre de 1957—, las instituciones cívicas del país, el sabotaje y los atentados en las ciudades; todo ello probaba que aquel pasaje del himno bayamés «morir por la patria es vivir» formaba parte del espíritu que guiaba a los revolucionarios.

La insurrección está presente en toda la geografía de la isla y «en cada rincón de Cuba, una lucha a muerte se libra entre la libertad y la tiranía». Para unir al heterogéneo arco opositor a fin de derrocar a la dictadura se suman las aportaciones para formar un gran frente cívico revolucionario sobre la base de tres pilares:

1) Estrategia común de lucha contra la dictadura criminal de Fulgencio Batista, reforzando la insurrección armada; apostar a una gran huelga general de las fuerzas obreras, cívicas, profesionales, económicas; 2) Al caer el tirano se instaurará un breve gobierno provisional que tendrá a su cargo encauzar al país por el procedimiento constitucional y democrático; 3) Programa mínimo de gobierno que garantice el castigo de los culpables, los derechos de los trabajadores, el orden, la paz, la libertad, el cumplimiento de los compromisos internacionales y el progreso. Se solicita al gobierno de Estados Unidos que cese la ayuda con material bélico o cualquier otra dispensa a la dictadura.

Un párrafo está dedicado a los militares, a quienes se aclara que ésta no es una guerra contra los institutos armados de la República, sino contra Batista, «único obstáculo a la paz». Sin dejar de inventariar que hubo centenares de oficiales y soldados que fueron muertos y perseguidos por su amor a la libertad, se interpela a los uniformados para retirar su apoyo a la tiranía.

Desde obreros hasta hacendados son convocados a unirse en esta empresa libertadora contra la infame tiranía que «ha regado con sangre el suelo de la patria» y «arruinado su economía». El documento termina con una exhortación a todas las fuerzas revolucionarias para que lo suscriban, ya que la unidad en la acción acorta la prolongación de la guerra civil.

En febrero de 1958, el Partido Socialista Popular replantea su posición táctica frente al M-26 y la guerra de guerrillas. Cuando en 1953 se producen los asaltos a los cuarteles de Santiago de Cuba y Bayamo, el PSP los califica de «estériles y equivocados». A pesar de que reconocen que es posible que los autores posean buenas intenciones, consideran que las consecuencias resultaron sumamente negativas. El ataque sirvió de «oportuno pretexto para barrer la escasa legalidad democrática subsistente a la sazón y para dar fuertes golpes al movimiento democrático de masas», que según el PSP por esos días se convertía en una amenaza seria a todos los planes del gobierno.

«Está bien establecido —agregan— que nuestro Partido no sólo no tuvo arte ni parte en los sucesos orientales, sino que es opuesto a esas tácticas burgués-putschistas, por ser falsas, por producirse fuera de las masas, por estorbar la lucha de masas». Caracterizada la iniciativa de Castro como aventurera y putschista, impide alcanzar la victoria contra el imperialismo y la reacción como se demostró posible en 1933 mediante las acciones de masas.

Frente a los métodos burgueses y pequeñoburgueses, que contemplan además el entreguismo electorero, se postula resueltamente la lucha de masas como auténtico método proletario. Nuestra táctica es clara, reafirman: constitución del Frente Democrático Nacional para unir a la oposición, derrotar al «putschismo» y mediante elecciones libres alcanzar «la solución democrática de la crisis cubana». A pesar de esta posición del PSP, tras el fallido asalto al Moncada, que dejó varias decenas de asesinados y centenares de presos, el gobierno había clausurado la prensa comunista.

Tras el desembarco del *Granma*, el PSP volvía a tomar distancia. En una «Carta del Comité Nacional del Partido Socialista Popular al Movimiento 26 de Julio», fechada en febrero de 1957, se subrayaba las discrepancias tácticas y metodológicas, aunque no se ponía en duda el valor y la sinceridad del grupo que operaba en la sierra Maestra. Juan Marinello, vocero del movimiento comunista, dejaba en claro que las tácticas correctas eran las que conducían al desarrollo del movimiento de masas a través de huelgas u otras demostraciones de protesta cívica.

Un año más tarde, en febrero de 1958 viran su posición y definen apoyar una táctica dual: «lucha armada en el campo y lucha no armada y civil en las ciudades». El PSP parecía no tener unanimidad sobre las tareas del momento y esta dualidad parecía funcionar como una solución de compromiso. Se instala un grupo del PSP para operar en la zona de la sierra del Escambray.

En julio de 1958 Carlos Rafael Rodríguez, junto con otro joven líder comunista, viaja a la Sierra Maestra a los efectos de establecer negociaciones con el M-26 para una acción convergente. Cuando aquél les dijo, a los representantes en La Habana del Pacto de Caracas, que Castro quería que se incluyera a los comunistas, tomaron con incredulidad esas palabras y no aceptaron lo que consideraron una falsa proposición.

Si bien Batista había acusado a Fidel de ser alguien que trabajaba a favor de los intereses rusos y chinos, caracterizándolo como dirigente de un proceso anarco-comunista, aclaraba que anarquismo y comunismo son dos doctrinas opuestas, quiere expresar que el comunismo de Fidel Castro está matizado acentuadamente por su ego vesánico y autoritario. Aún estaban frescas las declaraciones que se habían hecho públicas en la revista *Bohemia* en julio de 1956,

*Camilo Cienfuegos y el «Che» Guevara.*

cuando Fidel, junto con otros compañeros, fue arrestado en México y aparece una nota en la que se informa de su afiliación al PC y su integración en el Instituto Cultural Mexicano-Soviético. Castro negó que el informe que servía para acusarlo tuviese justificación y contraatacó con una nota que la misma revista publicó, desairando tanto a Batista como al PSP. Retóricamente se preguntaba: «¿Qué moral tiene en cambio el señor Batista para hablar de comunismo si fue candidato presidencial del Partido Comunista en las elecciones de 1940, si sus pasquines electorales se cobijaron bajo la hoz y el martillo, si por ahí andan las fotos junto a Blas Roca y Lázaro Peña, si media docena de sus actuales ministros y colaboradores de confianza fueron miembros destacados del Partido Comunista?»

El fracaso de la huelga de abril debilitó al sector del llano del M-26 de tendencia anticomunista. Los éxitos de la línea partidaria de la lucha armada en la sierra favorecen al sector del PSP, defensor de la idea de de abandonar la tradicional línea pacifista y electoralista. Después de varios meses, el Frente Obrero Nacional (FON) que nuclea a los grupos opositores no comunistas acceden a incorporar a éstos, cambiando su nombre por el de FONU.

En agosto el Che Guevara y Camilo Cienfuegos reciben la orden de la comandancia general de marchar hacia Occidente. Batista relata los combates en la zona central de la isla de la siguiente manera: «con el propósito de batir a los grupos, que ya los rebeldes llamaban columnas, se añadieron nuevas fuerzas a las existentes... una diez compañías de cien hombres cada una habían venido operando para desalojar las infiltraciones rebeldes que actuaban débilmente en las montañas de la Cordillera Central, al sur de Santa Clara. Esas fuerzas fueron aumentadas con tres batallones formados por más de cuatrocientos hombres cada uno», pero la inadecuada dirección de las operaciones militares hizo que en una semana las fuerzas insurgentes tuvieran un dominio sobre el territorio equivalente al que en la provincia de Oriente les había requerido dos años de lucha. Fulgencio Batista responsabiliza a la oficialidad por su deficiencia en el mando y su complicidad con los rebeldes. El desaliento y la desmoralización era la línea dominante en las filas de las fuerzas armadas; Batista se duele de que el general Tabernilla Dols indique a quienes debían rechazar el avance de Guevara y Cienfuegos que se trataba de una causa perdida, desalentando de esta manera a los encargados de combatir para triunfar. Esto explica cómo Castro, contando en mayo de 1958 con 300 efectivos, se imponía a un aparato bélico de 30.000 hombres. Las batallas decisivas libradas por las columnas guerrilleras contaron siempre con menos de 500 hombres armados.

Entre abril y diciembre se produce un vuelco decisivo. En primer lugar el Ejército Rebelde rechaza la ofensiva lanzada por Batista tras la fallida huelga general del 9 de abril, mientras que todo el arco opositor ha pasado a la lucha armada o a su apoyo activo.

El 3 de noviembre se producen las elecciones. Batista se presenta a través de un candidato títere, Andrés Rivero Agüero; la mayoría de la población no concurre a votar y la vía electoral se demuestra completamente impotente para poder dar una solución a la crisis cada vez más profunda.

La Revolución golpea a Batista; éste se encuentra aislado y abandonado incluso por sus propios seguidores. La huelga general estalla en cada rincón de la isla. La clase obrera vuelve a irrumpir como un actor central del proceso. La burguesía también hace lo suyo, al entender que Batista está incapacitado para reconstituir el bloque hegemónico. Estados Unidos le retira la confianza, con la expectativa de poder influir sobre el equipo de gobierno futuro, lo cual precipita aún más las cosas.

El 31 de diciembre Batista huye de Cuba, pero no puede ingresar en los Estados Unidos, porque éstos le niegan la visa. Su destino será entonces la República Dominicana de Leónidas Trujillo.

En síntesis, el papel del Ejército Rebelde resultó decisivo para desgastar al gobierno de Batista. Que una fuerza militar como la del Movimiento 26 de Julio, numéricamente tan reducida, desempeñara un papel tan significativo sólo se explica si se analiza la crisis y descomposición que envolvía al propio Estado que conducía Batista. Las masas campesinas y la estratégica intervención del movimiento obrero jugaron un rol en la agudización de las contradicciones sociales y dificultaron la generación de consenso para la conservación del pacto de dominación. El embargo de armas del gobierno norteamericano y el papel de la prensa de ese país reclamando la libertad de expresión y denunciando los atropellos cometidos, puso en jaque al régimen. La actitud de la burguesía y de la Iglesia de apostar a una renovación generó una corriente de simpatía en favor del cambio. La radicalizada clase media, imbuida de una ideología nacionalista y antiimperialista, es otro de los tantos factores a ser considerados a la hora de entender cómo un pequeño núcleo guerrillero ingresa en la capital del país, tras veinticinco meses de lucha, como la fuerza vencedora.

Batista explica su propia caída en los siguientes términos:

1. Por la incomprensión de la opinión pública y de los gobiernos amigos, de los alcances totalitarios del proyecto

de Fidel Castro, más concretamente su intención de favorecer a la URSS y a China comunista en detrimento de los Estados Unidos y sus aliados. Dice Batista con pesar: «se dudaba de nuestra sinceridad».

2. Al comenzar el otoño de 1958 la entrega de unidades del Ejército a grupos rebeldes se había tornado frecuente. Esta conducta de los oficiales para Batista podía ser «por negligencia, por complicidad, por interés lucrativo, por temor o por cobardía», pero lo que quedaba fuera de discusión era la existencia misma de la defección.

3. La resolución adoptada por el gobierno de los Estados Unidos de prohibir la venta de armas al gobierno cubano. La medida imponía una limitación técnica al ejército del régimen, pero fundamentalmente «debilitó la fe y redujo la voluntad de luchar en muchos de nuestros hombres».

4. Tras el desembarco del *Granma*, Fidel Castro había sido dado por muerto y enterrado, según un informe de Francis L. McCarthy, de la United Press. La publicación de la entrevista de Mathews, que daba por tierra con la versión de su muerte, sirvió para darle una enorme propaganda al M-26 y contribuyó a instalar a Castro de modo que éste empezó «a ser un personaje de leyenda».

5. Fue traicionado por sus hombres, que aceptaron la corrupción que les propusieron el Che y Fidel.

El texto que se transcribe a continuación fue escrito por el Che Guevara en diciembre de 1958 y publicado el 1 de enero de 1959. En él se puede apreciar cuál era la percepción en esa singular coyuntura.

*Lo que aprendimos y lo que enseñamos*

En el mes de diciembre, mes del segundo aniversario del desembarco del «*Granma*», conviene dar una mirada retrospectiva a los años de lucha armada y a la larga lucha revolucionaria, cuyo fermento inicial lo da el 10 de marzo, con la asonada batistiana, y su campanazo primero el 26 de julio en 1953, con la trágica batalla del Moncada.

Largo ha sido el camino y lleno de penurias y contradicciones. Es que en el curso de todo proceso revolucionario, cuando éste es dirigido honestamente y no frenado desde puestos de responsabilidad, hay una serie de interacciones recíprocas entre los dirigentes y la masa revolucionaria. El Movimiento 26 de Julio ha sufrido también la acción de esta ley histórica. Del grupo de jóvenes entusiastas que asaltaron el cuartel de Moncada en la madrugada del 26 de julio de 1953, a los actuales directores del movimiento, siendo muchos de ellos los mismos, hay un abismo. Los cinco años de lucha frontal, dos de los cuales son de una franca guerra, han moldeado el espíritu revolucionario de todos nosotros en los choques cotidianos con la realidad y con la sabiduría instintiva del pueblo.

Efectivamente, nuestro contacto con las masas campesinas nos ha enseñado la gran injusticia que entraña el actual régimen de propiedad agraria; nos convencieron de la justicia de un cambio fundamental de ese régimen de propiedad; nos ilustraron en la práctica diaria sobre la capacidad de abnegación del campesinado cubano, sobre su nobleza y lealtad sin límites. Pero nosotros enseñamos también; enseñamos a perder el miedo a la represión enemiga; enseñamos la superioridad de las armas populares sobre el batallón mercenario, enseñamos, en fin, la nunca suficientemente repetida máxima popular: «la unión hace la fuerza».

Y el campesino alertado de su fuerza impuso al Movimiento su vanguardia combativa, el planteamiento de reivindicaciones que fueron haciéndose más conscientemente audaces hasta plasmarse en la Ley n.° 3 de Reforma Agraria de la Sierra Maestra recientemente emitida.

Esa ley es hoy nuestro orgullo, nuestro pendón de combate, nuestra razón de ser como organización revolucionaria. Pero no siempre fueron así nuestras exposiciones sociales; cercados en nuestro reducto de la Sierra, sin conexiones vitales con la masa del pueblo, alguna vez creímos que podíamos imponer la razón de nuestras armas con más fuerza de convicción que la razón de nuestras ideas. Por eso tuvimos nuestro 9 de Abril, fecha de triste recuerdo que representa en lo social lo que la Alegría de Pío, nuestra única derrota en el campo bélico, significó en el desarrollo de la lucha armada.

De la Alegría de Pío extrajimos la enseñanza revolucionaria necesaria para no perder una sola batalla más; del 9 de abril hemos aprendido también que la estrategia de la lucha de masas responde a leyes definidas que no se pueden burlar ni torcer. La lección está claramente aprendida. Al trabajo de las masas campesinas, a las que hemos unido sin distinción de banderas en la lucha por la posesión de la tierra, agregamos hoy la exposición de reivindicaciones obreras que unen a la masa proletaria bajo una sola bandera de lucha, el Frente Obrero Nacional Unificado (F.O.N.U.), con una sola meta táctica cercana: la huelga general revolucionaria.

No significa esto el uso de tácticas demagógicas como expresión de habilidad política; no investigamos el sentimiento de las masas como una simple curiosidad científica; respondemos a su llamada, porque nosotros, vanguardia combativa de los obreros y campesinos que derraman su sangre en las sierras y llanos de Cuba, no somos elementos aislados de la masa popular, somos parte misma del pueblo. Nuestra función directiva no nos aísla, nos obliga.

Pero nuestra condición de Movimiento de todas las clases de Cuba nos hace luchar también por los profesionales y comerciantes en pequeño que aspiran a vivir en un marco de leyes decorosas; por el industrial cubano, cuyo esfuerzo engrandece a la nación creando fuentes de trabajo; por todo hombre de bien que quiere ver a Cuba sin su luto diario de estas jornadas de dolor.

Hoy, más que nunca, el Movimiento 26 de Julio, ligado a los más altos intereses de la nación cubana, da su batalla, sin desplantes pero sin claudicaciones, por los obreros y campesinos, por los profesionales y pequeños comerciantes, por los industriales nacionales, por la democracia y la libertad, por el derecho de ser hijos libres de un pueblo libre, por que el pan de cada día sea la medida exacta de nuestro esfuerzo cotidiano.

En este segundo aniversario, cambiamos la formulación de nuestro juramento. Ya no seremos «libres o mártires»: seremos libres, libres por la acción de todo el pueblo de Cuba que está rompiendo cadena tras cadena con la sangre y el sufrimiento de sus mejores hijos.

[*Patria. Órgano oficial del Ejército Rebelde «26 de Julio»*, Las Villas, año I, n.° 2, 1.° de enero de 1959.]

# Capítulo 13

# LA REVOLUCIÓN Y EL PODER

«Cuba estaba madura en 1933 para la revolución social que estalló en 1959», así comienza la aguda observación realizada por el experimentado periodista Herbert Matthews. Y agrega: «pero en aquel tiempo, los Estados Unidos, que aún tenían un poder de control en los asuntos internos de Cuba a través de la Enmienda Platt, trabajaron con éxito para obstruir la Revolución. El resultado de ello fueron otros veintiséis años de corrupción, violencia e ineficacia que culminaron en una revolución más drástica y peligrosa que todo lo que hubiera ocurrido en 1933».

La Revolución de 1959 en Cuba se presentó como un movimiento cuyas líneas de fuerza se entroncan con los rasgos estructurales de la historia contemporánea de la isla. El latifundio, la monoproducción y el imperialismo modelaron importantes características del todo social. Por ello, si focalizamos nuestra mirada en una de las compañías más relevantes del sector azucarero, la United Fruit Company, veremos condensadas las principales tendencias dominantes que hemos descrito a nivel macroeconómico y podremos apreciar también aquellos mecanismos operativos que permitieron a esta empresa de capital monopolítico norteamericano obtener ganancias extraordinarias en la isla, así como también algunas de las posiciones sociales y políticas de aquel microcosmos.

El nombre UFC remite inmediatamente al monopolio bananero que actuó en América Latina. El derrocamiento del presidente constitucional de la República de Guatemala, Jacobo Arbenz, en 1954 está asociado a la invasión de Castillo Armas, respaldado por el Departamento de Estado de Norteamérica y por la preservación de los intereses de la compañía bananera.

En Cuba su actuación se orientó predominantemente a la producción azucarera. Junto con la American Sugar Refining Compaña y la Guantazo Sugar Company, eran las empresas más destacadas en el ámbito cubano por el volumen de sus operaciones, ya que concentraban varias unidades productivas, tanto para la explotación agrícola como para el procesamiento de la caña.

La UFC se instaló en Cuba en 1901 y mantuvo sus actividades de manera ininterrumpida hasta 1959. Después su desembarco en la isla no tardará en convertirse en una de las principales empresas latifundistas, pasando de sus iniciales 6.787 caballerías a concentrar en la parte oriental de Cuba unas 8.500 caballerías (recordemos que una caballería, unidad de medida agraria cubana, equivale a 130 hectáreas); para 1959 era la séptima latifundista de Cuba. Sus dos centrales, Preston y Boston, formaban parte de la nómina de las diez centrales que más tierra poseían en propiedad en la isla.

Las tierras de la compañía en Cuba representaban el 19,3 por ciento de las que poseía en Centroamérica y Sudamérica. Se trataba de una cantidad equivalente a la suma de las que estaban bajo su propiedad en Costa Rica y Guatemala juntas.

Siguiendo con un esquema latifundista tradicional, siempre mantuvo alrededor de un 45 por ciento de las tierras como reserva ociosa. La colosal concentración de tierras en tres municipios contiguos, lo que constituía una gran unidad

*Fidel Castro junto a su hermano Raúl.*

cuya homogeneidad se reforzaba gracias al control del ferrocarril y a la posición dominante de las dos centrales, permitió a la UFC la explotación de los pequeños agricultores independientes que aún sobrevivían. En contraste con la zona occidental, donde la mayor fragmentación de la propiedad de la tierra y la pluralidad de ingenios, permitían el funcionamiento de mecanismos de mercado al colono vendedor de caña, en la zona de Banes casi un centenar de pequeños propietarios tuvieron que vender sus tierras a la compañía y en las primeras décadas del siglo, quienes vendían sus cañas apenas si recibían cuatro arrobas de arroz por cada cien de éstas; los que sobrevivieron a la expropiación quedaron como reserva, a la cual la compañía podía apelar en casos en que eventualmente requiriesen mayor cantidad de materia prima que la planificada.

La UFC supo articular y combinar eficientemente los intereses del sector del cultivo y la comercialización. De esta manera llegó a controlar, en tan sólo una década de actividad, el 70 por ciento del comercio bananero en Estados Unidos, con proyecciones en Europa y Canadá. Estaba instalada en casi todos los países de Centroamérica, en los que invertía en transporte ferroviario y en puertos, a lo que se sumaba la gran flota Blanca y la Tropical Radio Telegraph Company.

Tras la Segunda Guerra Mundial, con su explotación bananera, a la que agregaba la producción azucarera en Cuba y Jamaica, cacao en Costa Rica, Ecuador y Panamá, y aceite de palma en Costa Rica, Honduras, Guatemala y Nicaragua, llegó a constituir un verdadero imperio. Esta enorme extensión de tierras tropicales demandaba el empleo de unos 82.000 asalariados y una flota de 62 buques.

El negocio del azúcar en Cuba, la UFC lo concebía como una serie de eslabones sucesivos, sobre los cuales debía ejercer un control absoluto. Esta integración vertical evitaba el comercio interfirmas, facilitaba la generalización de la aplicación de las mejoras tecnológicas, fortalecía la posición de la empresa frente a los embates de los competidores y garantizaba en última instancia la elevación de la tasa de beneficio. Éste constituye un rasgo que la diferencia del resto de las compañías azucareras, incluso las de capital norteamericano, pues ninguna otra llegó a controlar la totalidad de los pasos del complejo proceso que arranca con la siembra de la caña para concluir con la venta a los consumidores del producto refinado. Más del 80 por ciento de la caña consumida por los ingenios de la UFC provenía de sus propias tierras. El transporte de la caña hasta las unidades industriales (propiedad de la compañía) se hacía por la red vial que ésta había trazado y construido. Los muelles y los barcos que de allí partían hacia Boston eran de la UFC. Refinación y comercialización también estaban a su cargo. La compañía reproducía en el plano azucarero la metodología aplicada en su exitosa explotación bananera.

Desde el punto de vista de la evolución de la productividad se pueden establecer dos períodos: un primer momento que va desde 1901 hasta la crisis de 1930 y que coincide con el gran crecimiento azucarero del primer cuarto de siglo, y un segundo período de 1930 a 1959 en donde se da la necesidad de adaptar las capacidades productivas a los cambiantes volúmenes que imponen la existencias de zafras libres alternadas con zafras restringidas, lo que conlleva a una búsqueda permanente de la elevación de la eficiencia y la productividad más allá de los vaivenes de la disponibilidad de materia prima según la coyuntura.

Desde finales de la década de los 20 se asiste a una reducción de la duración de la zafra, aun cuando la producción muestre una curva oscilante, pero de tendencia a mediano plazo ascendente.

La crisis de 1930 golpea con todo su rigor a la UFC. La caída de los precios y el Plan Chadborune hicieron que la compañía promoviera una amplia política de austeridad. En el Central Boston la plantilla, de 455 obreros utilizados durante la zafra de 1929, en 1931 había quedado reducida a 238, percibiendo un salario 50 por ciento inferior.

En un informe de la misma compañía, del año 1936, se decía que antes de esta década los problemas de los productores de azúcar se centraban en «las condiciones climáticas, el mantenimiento de la eficiencia mecánica y la demanda comercial del producto», pero esta realidad se vio trastocada a partir de que «el control gubernamental de la producción y distribución ha regulado artificialmente la demanda del producto y se ha convertido en un factor en sí mismo».

Sobre el final de la Segunda Guerra Mundial y en la inmediata posguerra, la falta de traba oficial a la producción permitió superar los niveles que se habían alcanzado en la década de los 20. Curiosamente la UFC, si bien acompañó esta tendencia general, no superó nunca la cifra récord de producción alcanzada en 1929. Esta actitud conservadora se reproduce en 1952, año en que se marca una nueva cosecha récord, mientras las centrales de la United no alcanzaron ese techo.

Al sobrevenir en 1953 la caída de los precios y la restricción de la zafra, la UFC volvía a apelar al mecanismo del ahorro. Con la recuperación de 1967 se afrontan inversiones de reposición por un millón de dólares para mantener los altos niveles productivos.

Las ganancias de la compañía tenían su origen tanto en el sector agrícola como en el industrial. En 1946, un alto funcionario de la UFC se lamentaba de los políticos que «están tratando constantemente de extraer más y más del negocio azucarero» y los responsabilizaba de establecer leyes sociales que «impiden la eficiencia operativa del negocio». Los altos costos tendrían que ver entonces con la elevación de los salarios azucareros, con el establecimiento de diversos fondos de seguridad social, como maternidad, retiro o licencias, y los alcances de la ley de Coordinación Azucarera sancionada en 1937, que regula el precio que debe pagarse a los colonos por sus cañas.

A pesar de las quejas, estudios como los de Sergio Guerra y otros revelan que la situación de la UFC era ventajosa con respecto a otros ingenios, al producir el azúcar a un costo 10 por ciento menor que el de los otros ingenios. Por otra parte, los desmesurados gastos generales que aparecen en los libros contables no son otra cosa que una maniobra para atribuir mayores gastos administrativos y poder mantener oculta, apelando también a una tasa de depreciación muy superior, la magnitud de las verdaderas ganancias.

El 5 de agosto de 1933 la Confederación Nacional Obrera de Cuba, desde la clandestinidad, lanza en La Habana una huelga general. La Unión Obrera decidió decretar una huelga general de 48 horas y un comité de lucha orientado por comunistas se plegó activamente al movimiento huelguístico. La UFC no tardó en reaccionar: la guardia rural asaltó el local de la Unión Obrera en Banes y clausuró el periódico *Voz Obrera*, que había comenzado a ser editado por aquellos días. Como consecuencia de la agitación y la fuerza de la protesta social, Machado abandonó el poder el 12 de agosto y los obreros de las dos centrales de la UFC convocaron a una asamblea para confeccionar un pliego de reivindicaciones.

Al reclamo de mejoras salariales se sumaron los obreros agrícolas de la UFC. El pliego de reivindicaciones que se acuerda presentar a la gerencia de la compañía contempla: la reducción de la jornada laboral a ocho horas; la restitución de los salarios a los valores de 1930, alojamiento y luz gratis, cumplimiento de la ley de accidentes de trabajo y reconocimiento del sindicato.

Estupefactos, los funcionarios de la compañía informan que durante la huelga y a lo largo del día «desfilaron grupos por las calles, todos armados con palos y encabezados por comunistas rabiosos con banderas rojas, gritando: ¡Viva la huelga! ¡Abajo los yanquis que nos chupan la sangre! ¡Viva el comunismo!»

Los trabajadores ocuparon la propiedad de la UFC y el Comité de Huelga asumió el control, de tal forma que los directivos y los empleados necesitaron un salvoconducto para poder desplazarse por el ámbito de la propiedad privada de la compañía. Un funcionario informaba del documento que había recibido de quienes dirigían las reclamaciones: «Este Comité de Huelga autoriza a Mr. Walter y Mr. McKenzie para transitar dentro de la División de la UFC a base de que sean escoltados por una brigada de la Milicia Roja a donde quiera que se trasladen los interesados.»

El 5 de septiembre se llegó a un acuerdo y a principios de 1934 se constituyó la Federación Obrera regional de Banes en reemplazo de la antigua Unión Obrera. Grau San Martín y Antonio Guiteras dejaban el gobierno y el poder del Estado se reconstituía. Cuando se retomaron las luchas reivindicativas, el aparato represivo descargó toda su furia destruyendo los sindicatos que habían sido constituidos en los dos ingenios de la UFC. Varios años más tarde comienza un proceso de reorganización, en el que los militantes comunistas juegan un papel destacado.

Antes de comenzar la zafra de 1941 la UFC firma con los trabajadores el primer convenio colectivo de trabajo. El carácter estacional de las labores requeridas hacía que la empresa retuviera como empleados permanentes tan sólo a una cuarta parte de la plantilla empleada en tiempos de zafra. Ésta, en un período de medio siglo, había oscilado en valores que habían alcanzado los valores extremos entre 256 y 50 días.

No existen en Cuba índices del costo de vida para ningún momento del período republicano. Lo que más se aproxima a ello es un índice de costo de la alimentación, producido por la Oficina de Números Índices del Ministerio de Agricultura. Un grupo de cuarenta y tres artículos alimenticios en treinta ciudades de la isla suministran la información básica. Tomando como base 100 el año 1937, este promedio anual se publicará hasta 1957. El análisis de la serie permite apreciar cómo desde 1938 hasta 1941 el costo de los alimentos se colocaba por debajo del indicador 100. En 1942 éste se eleva a 132,40 y en 1952 se ha duplicado, ubicándose en 253,80.

Durante la mayor parte del período, el Estado se presenta como un aliado y sostenedor de la compañía norteamericana. Cuando la lucha armada se extiende a zonas lindantes de la UFC, con la instalación del Segundo Frente Oriental «Frank País», Preston y Banes quedarán bajo el área de control de los insurgentes. Si bien la compañía confiaba en que las cosas podrían retrotraerse pronto a la «normalidad, el movimiento obrero ya había adquirido un nuevo dinamismo y el cambio general en la relación de fuerzas abría nuevos cauces».

En 1958, el Estado se encontraba en descomposición; en un *memorándum* secreto que Christian Herter, secretario de Estado de los Estados Unidos, le envía al presidente Einsenhower en octubre de 1958, le hace saber que la conclusión a la que ha llegado el Departamento es que «cualquier solución para Cuba requiere que Batista ceda el poder». El embajador Smith fue el encargado de transmitirle a Batista que el nuevo gobierno elegido el 3 de noviembre de ese año no sería reconocido por su gobierno y sugería a Batista que presentara su renuncia.

El triunfo de la Revolución fue posible gracias a que en sus filas militaba un arco amplio y heterogéneo de fuerzas sociales y políticas, que iban desde los campesinos pobres hasta una porción de los sectores privilegiados de la sociedad cubana, y desde el Movimiento Revolucionario 26 de Julio hasta la Organización Auténtica. Se puede decir que el 1 de enero de 1959 se inicia la etapa democrática de la Revolución. Como antecedente quedaban las orientaciones que por un lado proponía el Programa de la Junta de Liberación y por el otro el que se había forjado en la lucha guerrillera en la Sierra Maestra y enlazado con el movimiento obrero.

El juez Manuel Urrutia fue designado presidente provisional y el cargo de primer ministro lo ocupó un respetable abogado, José Miró Cardona. El primer gabinete del llamado «gobierno revolucionario» se integró con figuras como Roberto Agramonte, el candidato presidencial ortodoxo de 1952, quien tomó a su cargo el Ministerio de Asuntos Exteriores; Raúl Cepero Bonilla, economista y periodista, fue colocado al frente del Ministerio de Comercio; Manuel Fernández, que había militado junto a Antonio Guiteras en los años 30 pasó a ser ministro de Trabajo; la cartera de Bienestar social fue asignada a Elena Mederos, la única mujer en alcanzar esos niveles de responsabilidad. Los dos máximos dirigentes de la Resistencia Cívica pasaron a ser ministros: Faustino Pérez y Manuel Ray. Armando Hart, del M26, se convirtió a los veintiocho años en el nuevo ministro de Educación. De los diecisiete integrantes del gabinete, seis habían participado activamente en la resistencia urbana y sólo tres eran miembros del movimiento guerrillero. Castro era el comandante en jefe del Ejército Rebelde.

El nuevo gabinete combinaba elementos honestos pero de diferente procedencia; conservadores y jóvenes revolucionarios terminaban por establecer una línea zigzagueante de acción. A principios de febrero queda finalmente sancionada la Ley Fundamental, que recupera con todo detalle la Constitución de 1940, pero que al mismo tiempo introduce innovadoras disposiciones. Se amplían los poderes del primer ministro y se reduce a treinta años la edad para poder ser elegido como presidente; se ratifican también los procedimientos que permiten ejecutar la confiscación de las propiedades, jerarquizando al Poder Ejecutivo por sobre los otros dos poderes del Estado.

Transcurrido algo más de un mes de su asunción, Miró Cardona renuncia y en su lugar es nombrado Fidel Castro. El 17 de julio, Castro anuncia su alejamiento del cargo de primer ministro, pero una multitud sale en su apoyo. Las diferencias mantenidas con el presidente Urrutia, en torno al anticomunismo de este último, dejó como saldo la renuncia del presidente con arresto domiciliario para exilarse en 1961 en la embajada venezolana. Osvaldo Dorticós Torrado, que en la década de 1940 había sido candidato del PSP, es designado nuevo presidente y Fidel Castro continúa en su puesto.

En el mismo mes de enero se inician los juicios a los asesinos y torturadores de civiles; varios miles de personas presencian de manera directa los trámites del juicio. En un acto público realizado en La Habana, medio millón de personas exigen el castigo ejemplificador de los criminales. La prensa estadounidense «horrorizada» por la aplicación de la pena de muerte a los criminales del régimen de Batista, comienza una campaña sistemática contra la Revolución Cubana. Además de poner en marcha un ajuste de cuentas con el aparato represivo dejado por la dictadura, se adoptan algunas medidas económicas urgentes en favor de las capas más empobrecidas, como las rebajas en los alquileres. También se realiza una modificación en la composición de los ministerios y el 17 de mayo se aprueba la primera Ley de Reforma Agraria.

Aunque Fidel Castro definía la Revolución en términos de cubaneidad y humanismo, se fue instalando cada vez con más fuerza la discusión sobre el comunismo o no de la Revolución y de su líder. Se agitaba entonces en algunos sectores el fantasma de que Cuba se convertiría en un satélite de la Unión Soviética y que Castro era un agente rojo encubierto.

Desde el campo de la prensa aparecían informaciones, como *El Diario de la Marina*, uno de los periódicos más tradicionales de Cuba, que comienza a cuestionar abiertamente las decisiones del gobierno y veladamente a una de sus figuras más radicalizadas, al comandante Ernesto Che Guevara. Castro responde por televisión a tales agravios.

El comandante militar de la provincia de Camagüey, Hubert Matos, presentó su renuncia en disconformidad con el avance de las tendencias «comunistas» que percibe en el interior del gobierno. Fue arrestado bajo la acusación de conspiración, encomendándose a Camilo Cienfuegos el cumplimiento de la orden. Matos es juzgado y sentenciado a veinte años de prisión. En la conferencia de prensa el comandante Camilo Cienfuegos criticó a quienes decían estar preocupados por el comunismo, pero no por la continua incursión de aviones clandestinos con intenciones contrarrevolucionarias; para él el comunismo no constituía un problema.

El jefe de la Fuerza Aérea Revolucionaria, Díaz Lanz, se exilió en los Estados Unidos, y en un enigmático accidente aéreo Camilo Cienfuegos desaparece, sin que pueda recuperarse nunca su cuerpo. Fidel Castro decreta una semana de luto nacional como consecuencia del luctuoso acontecimiento.

Por otra parte, el debate ideológico se instala con fuerza: en los diarios y revistas en los cuales aparecen notas criticando a la Revolución, se insertan notas aclaratorias por parte del Colegio de Periodistas y el Sindicato de Obreros de Imprenta, contraindicando lo que se afirmaba en el cuerpo principal de la publicación. Jorge Zayas, propietario del periódico *Avance*, debió refugiarse en la embajada de Ecuador, mientras los obreros y empleados se hacen cargo de la dirección del periódico en salvaguardia de la fuente de trabajo.

En el terreno sindical, la Confederación Central de Trabajadores estaba compuesta por 33 federaciones nacionales de industrias y seis federaciones provinciales, que representaban a un millón de trabajadores. En las elecciones sindicales realizadas en los primeros meses de 1959 el Movimiento 26 de Julio ganó de manera aplastante, en muchos de los casos en competencia con las listas comunistas. En septiembre de ese año se reunió la Conferencia Nacional del CTC, que quedó en manos del Movimiento 26 de Julio. Sin embargo, la intervención directa de Fidel Castro se hizo necesaria para concederle un lugar a Lázaro Peña. Este dirigente sindical comunista había sido el secretario general de la CTC en tiempos de Batista, y en octubre de 1961 recuperó ese lugar.

La liquidación del ejército batistiano, la renovación de la burocracia civil y administrativa del Estado, las expectativas crecientes de reforma y las organizaciones de masas, resquebrajaban el poder político de las clases dominantes tradicionales, socias del imperialismo norteamericano, y abrían el cauce para la profundización de un movimiento irrefrenablemente popular y democrático nacional.

La lucha contra la corrupción objetivamente enfrentaba a los especuladores y defraudadores de ayer. La distribución del ingreso procuró disminuir el desempleo, mejorar las condiciones de vida de los sectores populares. En este marco se procuraba cortar con el subdesarrollo, pero para ello se avanzaba en los mecanismos reguladores del comercio exterior y en la necesidad del fomento de la industrialización para superar el monocultivo.

En el campo de la educación se inició una tendencia que contrastaría con muchas de las realidades latinoamericanas contemporáneas. El presupuesto de educación se aumentó de 74 millones de dólares en 1958 a 110 millones en 1960. Junto con el aumento de los recursos, se operó una reestructuración en el funcionamiento y en la calidad de las instituciones educativas, teniendo por norte la promoción del desarrollo económico, político, científico y cultural de cada uno de los cubanos.

El sistema de salud, mediante la nacionalización de las clínicas y una fuerte inversión en el sector, tendió a garantizar un sistema universal basado en la gratuidad de los servicios. La cuestión de la vivienda tampoco escapó al centro de las preocupaciones del nuevo gobierno y se diseñó entonces una ley para convertir a Cuba en tierra sin villas, miserias ni favelas.

No todos estaban conformes con el curso democratizador que adoptaba la Revolución. El arzobispo de Boston acusó a Fidel Castro de comunista y de haber incautado los fondos de la Iglesia católica de ese país. Al día siguiente, el obispo auxiliar de La Habana aclara que las propiedades eclesiásticas no han sido confiscadas. Con la presência de más de un millón de fieles, incluido el propio Fidel Castro, se realizó la inauguración del Congreso Católico Nacional, en el que se escuchó el mensaje especial enviado por Su Santidad el Papa Juan XXIII. Sin embargo, unos meses más tarde monseñor Eduardo Boza Masvidal criticó al Estado por considerar que éste fomentaba la lucha de clases y usurpaba la propiedad privada, no dudando en calificar dichas expropiaciones como un auténtico robo.

Los elementos conservadores, los grandes hacendados, los poderosos intereses del capital monolítico extranjero, sectores de profesionales y técnicos también manifestaban su oposición mediante distintos mecanismos e iniciativas. La clase obrera y las masas rurales percibían que ésta era su revolución. Los medios de producción material que abandonaban los sectores del antiguo privilegio para emigrar a los estados Unidos ahora eran reapropiados por el proletariado y el Estado revolucionario. Las tareas antiimperialistas y antioligárquicas no eliminaban el poder burgués, pero el ascenso de las clases subalternas hasta antes de la Revolución conducían a opacar la ideología pequeño-burguesa y a consolidar las transformaciones crecientemente estructurales.

El papel esencial que jugaba el capital extranjero en Cuba, la nacionalización de las empresas monopolistas y su puesta en producción por parte de los trabajadores, devenía en aquel contexto en una verdadera medida anticapitalista. La Revolución comenzaba a ingresar en una nueva fase, se entraba de lleno en una etapa socialista.

En las relaciones del comercio exterior se fue trazando un nuevo esquema. El creciente conflicto con los Estados Unidos terminó en una reorientación total del flujo comercial hacia nuevos socios, la Unión Soviética y el campo de países socialistas. Como consecuencia de esta iniciativa, los Estados Unidos profundizaron sus represalias hacia la que había constituido en los hechos su neocolonia. En octubre de 1960 se nacionalizan 166 empresas que eran en parte o en su totalidad de propiedad norteamericana, pero también se avanza sobre la burguesía cubana nacionalizando 376 establecimientos.

Las transformaciones estructurales de signo socialista se aceleran tras ser aplastado el desembarco de las fuerzas contrarrevolucionarias organizadas, entrenadas, armadas, transportadas y dirigidas por la CIA en Playa Girón. La Revolución se define conscientemente como socialista y se crea la ORI (Organizaciones Revolucionarias Integradas), luego transformada en PURSC (Partido Unido de la Revolución Socialista) y finalmente portando la denominación PCC (Partido Comunista de Cuba).

La creciente polarización de las fuerzas sociales había conducido a un reagrupamiento político en base, no sólo a la lucha antidictatorial, sino también en torno a la opción por el socialismo. El Movimiento Revolucionario 26 de Julio, el Directorio Revolucionario 13 de Marzo y el Partido Socialista Popular constituyeron el núcleo de la nueva alianza. Los "viejos comunistas", tal como se les llamaba a los integrantes del PSP, ahora convivían en la nueva organización con los "nuevos comunistas". Fidel Castro, anticipándose a este movimiento, en una entrevista publicada por el periódico italiano *L'Unità* afirmaba que el PSP había sido el único partido «que siempre ha proclamado claramente la necesidad de un cambio radical en la estructura de las relaciones sociales». No ocultaba que al principio los comunistas habían desconfiado de él y él de los comunistas. «Era una desconfianza justificada, una postura absolutamente correcta... porque nosotros, los de la Sierra..., estábamos todavía llenos de prejuicios y defectos pequeño-burgueses, a pesar de nuestras lecturas marxistas... Luego nos juntamos, nos comprendimos los unos a los otros y empezamos a colaborar».

Al frente de la mencionada Organizaciones Revolucionarias Integradas (ORI) se encontrará el viejo dirigente del PSP Aníbal Escalante, aunque más tarde fue alejado de ese cargo de máxima responsabilidad por su política sectaria. La otra organización de masas, clave para la continuidad del proceso, fue la formación de los Comité de Defensa de la Revolución.

Mientras en la isla se construye el tránsito al socialismo, en la retaguardia los ex funcionarios de Batista polemizaban con el Departamento de Estado de

*Entrada de Fidel en La Habana (1954).*

los Estados Unidos. En 1961 éste pone en circulación un documento titulado «Papel Blanco». Allí se hace una caracterización de lo que había sido el régimen depuesto y se le sindica como el principal responsable de la inevitable «reacción popular violenta». También se recuerda que en 1943 Batista integró a su gabinete «al primer comunista declarado que jamás haya ocupado un cargo ministerial en cualquier república americana». Se sostiene también la indiferencia que habría manifestado el batistiato ante las demandas de educación, mejoramiento de la atención médica, la construcción de viviendas o la ampliación de oportunidades económicas para el pueblo.

Ofuscados por los términos en los que el Departamento de Estado trataba a la administración encabezada por Batista, hasta ayer hombre de confianza de Washington, antiguos funcionarios de alto nivel se sintieron agraviados. Un ex vicepresidente de la República, un ex presidente del Senado, un ex vicepresidente de la Cámara de Representantes, un ex alcalde de La Habana y varios ex ministros firmaron ante Peter M. López, notario público del Estado de La Florida, Estados Unidos, una aclaración al «Papel Blanco» con un claro sentido reivindicativo y por momentos laudatorio. Estos personajes, que habían mantenido silencio durante más de dos años, consideraron que debían elevar su voz para refutar un documento oficial del gobierno de los Estados Unidos, en el que se lanzaban graves acusaciones sobre ellos. El primer argumento que esgrimen es que siempre advirtieron que, de triunfar Fidel Castro, un régimen comunista sería establecido en Cuba, en contraste con el propio documento del Departamento de Estado que admite que esa resolución era dudosa.

Se reivindican entonces como los primeros combatientes contra el comunismo en Cuba y que hoy todos ellos sobrellevan un exilio pobre o modesto. No niegan que puede haber habido actos deshonestos en el período comprendido entre 1952 y 1958, como ocurrió con administraciones cubanas anteriores o eventos análogos en otros países. Después de todo, la corrupción se encuentra en el mundo entero; basta con leer la prensa, afirman. Incluso Fulgencio Batista anota a pie de página, sugestivamente, que durante ese tiempo hicieron importantes negocios compañías norteamericanas como la Cuban Telephone Company, la Esso Standard Old, la Texaco, etc. y se permite sugerir: «Sería esclarecedor investigar con todas esas entidades si algún funcionario del régimen actuó con ellas en forma que mereciera los ásperos calificativos de "corrompido" y "rapaz".»

También se defienden de la acusación referida a la brutalidad de la policía. Aquí se recuerda que la oposición era violenta y que pretendía derribar al gobierno "legítimo" (reconocido por todos los países del mundo excepto los comunistas). Denuncian que se estima que el número de víctimas fue de 20.000, pero esto entienden que es según la propaganda comunista, ya que la opositora revista *Bohemia* sólo pudo contabilizar 869. No ocultan que desde 1956 existió una guerra civil, pero debe admitirse que en todas las guerras de esa naturaleza los excesos son inevitables: «Basta echar una ojeada a lo que ocurrió hace años en España y está ocurriendo en Argelia». Nada de todo esto sería comparable, desde su óptica, con lo que devino a partir del cambio de gobierno.

Como una muestra del buen trato que dispensaban a la población en general y a los presos políticos en particular observan que todos los hombres que formaron parte del gobierno de Fidel, con la excepción del Che Guevara, fueron «arrestados por la policía de nuestro gobierno. Todos están vivos sin ninguna lesión que demuestre que fueron víctima de maltrato alguno y gozan de perfecta salud». Se enumera a continuación «la extraordinaria labor» en salud, educación, vivienda, etc.

En términos políticos se criticaba la posición expuesta en el documento en la que se ve con simpatía los primeros tiempos del gobierno «fidelo-comunista». En cambio, se aplauden las críticas que se hacen al mencionado régimen en tanto amenaza a la seguridad del sistema interamericano y a la entrega de Cuba al yugo de Rusia y China.

La Revolución tuvo múltiples escenarios. Uno fue sin duda la ciudad de SANTIAGO DE CUBA, LA CIUDAD CIEN VECES HEROICA. Tal es la denominación con que la revista *Bohemia* la honra en su número extraordinario de enero de 1959. Veinticinco años más tarde se le entrega el título honorífico de «Héroe de l República de Cuba».

«No hay que repetirlo, porque todos lo sabemos: Santiago de Cuba, capital de Oriente —Capital de la Dignidad—, es símbolo del heroísmo. El sol que la calienta, el mar que le baña los pies, las montañas que le regalan el cielo, están llorando de horror. ¡Jamás corrió tanta sangre por las calles! ¡Jamás descendieron del alma humana tantos ríos de lágrimas! ¡Jamás un pueblo halló tanto infierno a su alrededor!

Todo lloraba en Santiago.

Pero un día, cuando en los ojos exprimidos se acabó el llanto, el llanto lloró en sí mismo.

El crimen, la ignominia, el escarnio... ¡la muerte! iban regando ataúdes en la ciudad. Las cruces —las que se encontraban— espigaban donde quería.

¡Nunca se mutiló tanta vida como en los días tenebrosos que espantaban a Santiago de Cuba!

De tanto sobresalto, los corazones no latían, agonizaban desesperadamente, angustiosamente, desconsoladamente.

El alma estaba siempre a media asta.

Y las madres querían meter a sus hijos otra vez en sus entrañas para salvarlos de las bestias. Y los padres se mataban el instinto para que no les saliera por los ojos. Y los niños se hacían crecer el dolor para que estallara en pedazos de valentía. Y todo estaba herido en Santiago. Todo tenía un olor de sangre, de angustia, de imposible.

Los verdugos andaban babeando por las aceras, por los parques, por las avenidas. Violaban los hogares, asaltaban los hogares, pisoteaban los hogares.

De día y de noche, los verdugos cortaban la alegría de las rosas, mutilaban el júbilo de la juventud, despedazaban el sueño.

Pero una vez el heroísmo se metió en Santiago. Se instaló en toda la ciudad, como en la época de los mambises aguerridos. Como en los tiempos de Guillermón.

Sobre el sufrimiento, sobre la mutilación de la esperanza, el heroísmo se posó en las manos, habitó los pechos encendidos, residió en las miradas gastadas por el desfile de la muerte.

Y las madres empujaban a sus hijos hacia las montañas, hacia la cordillera redentora, hacia donde hubiera un pedazo de libertad.

Y hasta la angustia peleó.

Pelearon los buenos contra los malos, contra los que abrían sementeras de oprobio, contra los que intentaban ahogar la tierra con sangre.

Y Santiago de Cuba fue heroica y brava cien veces.

De tu gloria, Santiago, ¡Capital de la Dignidad!»

# Capítulo 14

## LA CONFRONTACIÓN CUBANO-NORTEAMERICANA

Desde un punto de vista histórico resulta innegable que en el largo plazo las relaciones entre Estados Unidos y Cuba estuvieron signadas hasta la Revolución por la defensa que hacían los primeros de sus intereses instalados en la isla. Para este objetivo, los Estados Unidos habían encontrado en distintas coyunturas un aliado estratégico en la burguesía cubana y en las fuerzas armadas. Considerado el Caribe como su patio trasero, la Enmienda Platt venía a ser la sanción legal de una situación asimétrica.

Desde los primeros meses de 1959 comienza un proceso de redefinición de la relación entre ambos Estados, que va a alcanzar en poco tiempo un escenario de conflagración en el que no quedó descartado el uso del armamento nuclear, Unión Soviética mediante.

El 7 de enero los Estados Unidos reconocen al nuevo gobierno y retiran a su embajador, Earl T. Smith, quien había aparecido muy comprometido con el régimen depuesto. En su reemplazo se nombra a Philip Bonsal, un diplomático de carrera del Servicio Exterior. Ya en su condición de ex embajador en Cuba, Smith informó, en agosto de 1960 al Subcomité para investigar la administración de la Ley de Seguridad Interna del Senado de su país, que los «Estados Unidos tenían tanta influencia en Cuba, hasta el advenimiento de Castro, que el

*El cuarteto revolucionario: (de izqda. a dcha.) Che Guevara, Raúl Castro, Fidel Castro y Osvaldo Dorticós.*

embajador norteamericano era el hombre más importante en Cuba después del presidente; a veces, aún más importante que el presidente».

El primer ministro Miró Cardona no tarda en renunciar, al entender que el verdadero poder lo detenta Fidel Castro, por su jerarquía histórica como jefe de la Revolución. El 16 de febrero éste jura como primer ministro e inmediatamente el gobierno revolucionario decide suprimir la venta de billetes de lotería, un verdadero símbolo de la corrupción gubernamental, tanto en el régimen de Batista como en el de su antecesor, Prío Socarrás. Se promueve en su reemplazo un sorteo con contenido social a partir de la creación del Instituto Nacional de Ahorro y Vivienda.

Fidel Castro denuncia el intento de chantaje de Estados Unidos hacia Cuba, valiéndose de la amenaza de suprimir la cuota azucarera. Interviene en marzo la compañía de teléfonos, procede inmediatamente a reducir sus tarifas, pero al mes siguiente en Washington asegura ante la American Society of Newspaper Editors que las inversiones extranjeras serán bienvenidas. Ratifica el criterio de defender el principio de la libertad de prensa. En el mismo viaje, y dado que se trataba de una misión no oficial, el presidente de Estados Unidos evita encontrarse con él. Sí lo hace el vicepresidente Richard Nixon en Washington. En un memorándum secreto que redacta para la CIA, el Departamento de Estado y la Casa Blanca deja expresadas las impresiones que le ha provocado su interlocutor: «o bien Castro era increíblemente ingenuo acerca del comunismo o estaba ya bajo su férula, por lo que había que tratarlo y negociar con él teniendo esto muy en cuenta». Castro viaja a Canadá y niega que su gobierno esté influido por el comunismo. Se traslada hasta Buenos Aires para reunirse con la Comisión de los Veintiuno de la Organización de Estados Americanos y se pronuncia por constituir un fondo de desarrollo para Hispanoamérica.

El 17 de mayo de 1959 se sanciona la Ley de Reforma Agraria y se dispone la creación del Instituto Nacional de Reforma Agraria (INRA). El texto legal establecía la abolición de los latifundios, y unas semanas más tarde el Departamento de Estado de los Estados Unidos envió una nota a la República de Cuba, manifestando su apoyo a las metas de la transformación agraria, pero expresando su preocupación por el carácter de expropiaciones y reclamando una compensación razonable que atendiera a los derechos de los ciudadanos norteamericanos. Los cubanos no demoraron la respuesta y se manifestaron dispuestos a emitir bonos para compensar a los propietarios. De esta manera reeditaban el antecedente aplicado en Italia en 1950 en la implantación de su plan de reforma agraria.

La expedición, que tenía por destino liberar a la República Dominicana de las garras de la dictadura trujillista, despertó inquietud en el presidente Eisenhower y propuso que la OEA analizase la situación por la que estaba atravesando el Caribe. El jefe de la Fuerza Aérea cubana, Pedro L. Díaz Lanz, acusa al gobierno de Cuba de estar dominado por los comunistas, deserta y se asila en los Estados Unidos rindiendo informes tanto a la Subcomisión del Senado de aquel país como al FBI. Eisenhower acusa recibo del testimonio de Díaz Lanz, pero públicamente confiesa que no existen pruebas concretas para afirmar que Castro sea un comunista.

Díaz Lanz despega desde suelo norteamericano y vuela sobre la ciudad de La Habana esparciendo panfletos antigubernamentales. Castro aprovecha esta nueva oportunidad para atacar a los Estados Unidos y hacerlos responsables tanto de la violación del espacio aéreo cubano como de las víctimas indefensas de los bombardeos que éstos pudieran provocar. El Departamento de Estado protesta por estas acusaciones, calificando tales informes de «inexactos, maliciosos y engañosos». Cuba rechaza la protesta de los Estados Unidos y Radio Moscú transmite una declaración adhiriéndose a la versión brindada por éstos.

Está claro que las relaciones bilaterales se iban deteriorando y las desavenencias se profundizan aún más en la medida en que el gobierno revolucionario avanza con disposiciones socializantes. Sobre finales del primer año de revolución se decreta la confiscación de los bienes de los integrantes de la contrarrevolución. Castro llama «insolente» al vicepresidente Richard Nixon y acusa abiertamente a los Estados Unidos de injerencia en los asuntos internos de la isla. El presidente Eisenhower sindica a la intriga comunista como la responsable de envenenar las relaciones cubano-norteamericanas. Inmediatamente el presidente Dorticós le replica, recordándole que Cuba es un Estado soberano y como tal debe ser respetado por los Estados Unidos.

En febrero de 1960 se inaugura una feria comercial soviética y se firma el tratado comercial por el cual la URSS se compromete a comprar 5.000.000 de toneladas de azúcar durante el próximo quinquenio y a suministrarle petróleo por igual tiempo. Este gesto de independencia de Cuba exaspera los ánimos de la elite gobernante en el gran país del Norte. Prosigue la polémica sobre los vuelos clandestinos avalados supuestamente por Estados Unidos e intensificados en los últimos tiempos.

En el plano simbólico, cada gesto se hallaba cargado de un alto poder representativo de las líneas políticas que uno y otro gobierno querían desarrollar. Así, el embajador Philip Bonsal es desairado cuando el 3 de marzo de 1959 solicita una audiencia con Fidel Castro, que se la concede para el 4 de septiembre. Cuando el 20 de marzo de 1960 retorna a La Habana después de un viaje a Washington ningún funcionario cubano se presenta en el aeropuerto para cumplir con el protocolo.

Los Estados Unidos aprovechan su influencia sobre los gobiernos del hemisferio y apuestan a utilizar la OEA como instrumento disciplinador de los jóvenes «barbudos». Pero las cosas van mucho más lejos que las declaraciones o la confección de piezas retóricas: en Guatemala, tierra en la que reina la United Fruit Company, están en marcha los preparativos para una invasión de Cuba. Castro denuncia estos planes, que son conocidos gracias a la labor de contrainteligencia del periodista argentino Rodolfo Walsh. Guatemala rompe relaciones diplomáticas con Cuba, aunque la verdad histórica hoy sabemos que estaba del lado de Castro.

A la violación del espacio aéreo por parte de Estados Unidos se suma la presencia en la plataforma submarina; la guardia costera cubana se ve obligada a disparar contra el submarino *Sea Poacher*. El 27 de mayo de 1960 el presidente Eisenhower ordena la suspensión de los proyectos de asistencia técnica a Cuba.

Las increpaciones se tornan cada vez más agresivas: Castro y Dorticós, que se encuentran en gira por América Latina, son acusados de difamación por parte del Departamento de Estado. Una nueva escalada confrontativa se produce cuando las refinerías de capital norteamericano e inglés se niegan a procesar el petróleo soviético que arriba a la isla en cumplimiento del tratado comercial. La respuesta de los cubanos fue la nacionalización de las compañías petroleras, así como también la expropiación de los hoteles de propiedad norteamericana.

Cada medida que tomaba Estados Unidos para condicionar, limitar o imponerse sobre la soberanía de Cuba es respondida con una profundización de la revolución y, consecuentemente, con la ampliación de la base social que la respaldaba. El 6 de julio la administración republicana anuncia un recorte en la cuota azucarera cubana de 700.000 toneladas. La Unión Soviética, por boca de su primer ministro Nikita Kruschev manifiesta su apoyo a Cuba y anuncia el ofrecimiento de comprar las 700.000 toneladas. Fidel Castro comunica por medio de la televisión que acepta la oferta soviética y su gobierno además promulga una ley en la que autoriza la nacionalización del cien por cien de las empresas de propiedad norteamericana.

A finales de agosto se reúne en San José de Costa Rica una nueva Conferencia de la Organización de Estados Americanos, y allí se acusa a Cuba de haber promovido la invasión a otros países vecinos como la República Dominicana, Guatemala y Haití; de contar con campos de adiestramiento para entrenar hombres y mujeres que desplegarían la guerra de guerrillas en otros puntos del continente. En la denominada Declaración de San José se reafirma la Doctrina Monroe, por su claro carácter funcional a la guerra fría, y se condena por tanto la intervención de potencias extracontinentales en los asuntos americanos, reafirmándose de una manera imprecisa el principio de no intervención de ningún estado americano en los asuntos internos de otro. La inconsistencia del texto será respondida por los sólidos argumentos expresados en la *Primera Declaración de La Habana*.

Ésta comenzaba diciendo: «En Cuba, territorio libre de América, el pueblo en uso de las potestades inalienables que dimanan del efectivo ejercicio de la soberanía expresada en el sufragio directo, universal y público, se ha constituido en Asamblea General Nacional.

En nombre propio y recogiendo el sentir de los pueblos de Nuestra América, la Asamblea General Nacional del Pueblo de Cuba:

1. Condena en todos sus términos la denominada *Declaración de San José de Costa Rica,* documento dictado por el imperialismo norteamericano y atentatorio a la autodeterminación nacional, la soberanía y la dignidad de los pueblos hermanos del continente.

2. La Asamblea General Nacional del Pueblo de Cuba condena enérgicamente la intervención abierta y criminal que durante más de un siglo ha ejercido el imperialismo norteamericano sobre todos los pueblos de la América Latina, pueblos que más de una vez han visto invadido su suelo en México, Nicaragua, Haití, Santo Domingo o Cuba...».

Como puede apreciarse, el eje de confrontación está puesto en contra del intervencionismo imperialista; de manera contrastante se plantea que la Unión Soviética ha brindado una ayuda espontánea a Cuba frente a la amenaza de las fuerzas militares imperialistas. Este gesto no puede ser interpretado como intromisión, sino como acto solidario. Tampoco se emplean categorías centrales al análisis marxista como «burguesía y proletariado». Se hace una crítica a la democracia, o mejor dicho a la seudodemocracia, pues ésta no resulta compatible con la oligarquía financiera, con la discriminación racial o con los desmanes del Ku-Klux-Klan. «La democracia —se afirma— no puede consistir sólo en el ejercicio de un voto electoral, que casi siempre es ficticio y está manejado por latifundistas y políticos profesionales, sino en el derecho de los ciudadanos a decidir, como ahora lo hace esta Asamblea del Pueblo, sus propios destinos.»

Tampoco aparece la expresión socialismo, aunque se hace una explícita condena al latifundio, a la explotación, al hambre, al analfabetismo, a la discriminación del negro y del indio, a la desigualdad de la mujer y a las oligarquías militares y políticas. También se denuncia la explotación de los países subdesarrollados por el capital financiero imperialista.

Durante el mes de septiembre el Ministerio de Trabajo interviene la red de radio y televisión CMQ y la estación de radiodifusión Radio Reloj. Otro tanto se realiza con las principales fábricas de tabaco, fundándose en el criterio que sus propietarios estaban produciendo un verdadero vaciamiento que ponía en riesgo la continuidad de la fuente de trabajo. La Unión Obrera del Tabaco saluda esta intervención y hace votos porque no vuelvan a la órbita de la propiedad privada. El 17 de septiembre se nacionalizan las sucursales del First National City Bank de Nueva York, el First National Bank de Boston y el Chase Manhattan Bank. En la Asamblea General de las Naciones Unidas Fidel Castro pronuncia un discurso de cinco horas en el que repasa los principales tópicos de confrontación con su vecino del Norte. A su regreso, el 28 de septiembre, se anuncia la organización de los Comités para la Defensa de la Revolución (CDR).

En octubre se constituyen las milicias a partir del aporte de los jóvenes obreros, campesinos y estudiantes. También se paralizan durante una hora todas las actividades en la ciudad de La Habana para repudiar los bombardeos y respaldar al primer ministro. Estados Unidos continúa negando poseer información sobre estas clandestinas operaciones aéreas. La Central de Trabajadores Cubanos convoca en La Habana a la «concentración del millón» para oponerse a estas agresiones que según el Departamento de Estado procederían de un lugar indefinido. Fidel Castro se interroga por qué estos vuelos no están direccionados a atacar dictaduras como la de Trujillo en la República Dominicana o Somoza en Nicaragua. Ernesto Che Guevara interviene a su turno y declara que «Cuba no será Guatemala ni los infantes de marina doblegarán a la nación cubana».

Estados Unidos no permanece de brazos cruzados y anuncian el embargo de todo comercio con la isla, salvo en lo relativo a medicinas y alimentos; por ende, se cancela la cuota de azúcar cubana. Castro exige la reducción del número de personas asignadas a la embajada norteamericana en Cuba, lo que provoca la ruptura de las relaciones diplomáticas, asumiendo la embajada suiza la atención de los asuntos norteamericanos.

El candidato a presidente por el Partido Demócrata, John F. Kennedy, comienza a plantear en 1960 una redefinición de las políticas aplicada por Estados Unidos hacia los países situados al sur del río Bravo. Considera como inadecuadas la doctrina Monroe formulada en 1823 y la política de buena vecindad implantada por Franklin Delano Roosevelt. A los efectos de optimizar una intervención económica y diplomática que evite el descontento hoy existente, propone adoptar seis puntos: 1) Formalizar acuerdos entre los países americanos para estabilizar los precios de la materias primas que constituyen los principales ingresos de divisas para éstos; 2) Ampliar los préstamos para el fomento de la producción, valiéndose del Banco Interamericano de Desarrollo; 3) Reformular las políticas impositivas en contra de los criterios regresivos; 4) Abandonar el apoyo a las dictaduras y favorecer el establecimiento de gobiernos libres; 5) Jerarquizar el papel de la OEA como instrumento multilateral para intervenir en los asuntos hemisféricos; y 6) Poner énfasis en la educación y la asistencia técnica para contribuir al desarrollo económico. Como se puede apreciar, gran parte de estas ideas serán retomadas a la hora del lanzamiento de la «Alianza para el progreso».

El republicano Richard Nixon, que se encuentra en una línea minoritaria dentro del gobierno, logra imponer su enfoque de colocar en cuarentena total al régimen de Castro. La CIA recibe la autorización para entrenar secretamente a los cubanos exiliados a fin de promover una invasión a la isla.

Está en marcha la reedición del modus operandi empleado en Guatemala para derrocar al presidente constitucional, Jacobo Arbenz. En 1954 un avión C47 arrojó volantes contra el gobierno en la capital de aquel país centroamericano. Un mes más tarde comienza la invasión de los mercenarios de Carlos Castillo Armas. El presidente guatemalteco Arbenz denuncia por medio de la cadena oficial que los Estados Unidos, junto con los dictadores de Honduras y Nicaragua, son los responsables de provocar su derrocamiento. En su dramático discurso afirma: «Nuestro crimen es la reforma agraria contra las compañías imperialistas. Nuestro crimen es el de buscar patrióticamente la independencia económica». Denuncia también que estas maniobras cuentan con el beneplácito de Trujillo y Batista. Finalmente, ante el avance de las fuerzas rebeldes y el respaldo que a éstas brinda la cúpula castrense, Arbenz entrega el poder al coronel Carlos Enrique Díaz y se exilia en la embajada de México. Obreros, empleados y estudiantes solicitan infructuosamente armas para defender la nación contra esta injerencia de los Estados Unidos. Ni uno ni otros logran detener los planes de John y Allan Foster Dulles, es decir que Carlos Castillo Armas queda entronizado en el poder.

En la ceremonia del homenaje a los caídos por los bombardeos de la aviación contrarrevolucionaria, Fidel proclama por primera vez el carácter socialista de la Revolución. En menos de 72 horas son derrotados los mercenarios que desembarcan en Playa Girón, que contaban con la cobertura de los Estados Unidos.

*Fidel Castro y Nikita Kruschev.*

En la reunión de cancilleres americanos realizada en enero de 1962 en Punta del Este, los Estados Unidos redoblan su ofensiva diplomática: allí consiguen, mediante una ajustada votación, los dos tercios de los votos necesarios para aprobar la expulsión de Cuba de la OEA. Gran repercusión tuvieron los fundamentos de la alineación del voto de Haití con los Estados Unidos: veinticinco millones de dólares estadounidenses.

Como respuesta a esta resolución, Cuba da a conocer la Segunda Declaración de La Habana. Ésta comienza con un análisis de la época contemporánea a la luz de las categorías del marxismo-leninismo. Se puede leer entonces: «El sistema capitalista de producción, una vez que hubo dado de sí todo lo que era capaz, se convirtió en un abismal obstáculo al progreso de la humanidad». El proletariado está llamado a cambiar el sistema social mediante la colectivización de los medios de producción; por ello se dice que resulta caduco y anacrónico el régimen basado en la propiedad privada, que subordina a millones de seres humanos a los dictados de una minoría social.

«Los intereses de la humanidad —continúa el documento— reclamaban el cese de la anarquía en la producción, el derroche, las crisis económicas y las guerras de rapiñas propias del sistema capitalista. Las recientes necesidades del género humano y la posibilidad de satisfacerlas exigían el desarrollo planificado de la economía y la utilización racional de sus medios de producción y recursos naturales.»

La clase obrera y los intelectuales revolucionarios de América Latina están convocados a desempeñar su «verdadero papel», que es ser la vanguardia de la lucha contra el imperialismo y el feudalismo. La mención del carácter antifeudal de la lucha se entronca con el diagnóstico que la mayoría de los partidos comunistas tenían de la formación económico-social de América Latina. Se confía en poder vertebrar un amplio movimiento en que se sumen el viejo militante marxista junto con el católico sincero para enfrentar a los monopolios yanquis y a los «señores feudales de la tierra».

Si bien se postula el carácter fatalista del triunfo de la Revolución, se concluye con una taxativa apelación a la voluntad: «No es de revolucionarios sentarse a la puerta de su casa para ver pasar el cadáver del imperialismo.»

El 22 de octubre de 1962 se produce lo que se conoce con el nombre de Crisis de los Misiles, para muchos tal vez el momento más próximo al estallido de una nueva conflagración mundial. Los Estados Unidos descubren la presencia de la construcción de bases misilísticas en la isla y disponen un bloqueo marítimo y aéreo de Cuba. En menos de veinticuatro horas la Organización de Estados Americanos aprueba el bloqueo y exhorta a todos sus miembros a respaldarlo. J. F. Kennedy negocia directamente con el premier Kruschev sin la intervención de Castro. La URSS anuncia el retiro de los proyectiles de Cuba y los Estados Unidos se comprometen tácitamente a no invadir la isla del Caribe. Se disipa la posibilidad de una confrontación con el uso de armas atómicas, teniendo como epicentro a Cuba.

Con la finalidad de enfrentar las concepciones morales de la burguesía con la ética revolucionaria, el filósofo León Rozitchner elabora en *Moral Burguesa y Revolución* un análisis de la cuestión sobre la base de los testimonios de los invasores contrarrevolucionarios de playa Girón.

«... Y si tengo algún pecado es haber vivido al margen de la circunstancia, porque yo era un hombre de posición económica desahogada.»

Felipe Rivero Díaz

«Ahora el que yo esté metido en una conspiración no quiere decir que sea conspirador.»

Padre Ismael de Lugo, capuchino

«Bueno, no; yo vine aquí completamente engañado, porque yo...».

Ramón Calvino Insúa

*La justificación por el conjunto*

«Hemos considerado al grupo invasor como un sistema en el cual cada una de sus partes contiene y expresa esa totalidad, del mismo modo como ese grupo contiene y adquiere sentido sólo por la existencia de cada una de sus partes. Hemos señalado, además, que esa totalización realizada básica de la sociedad capitalista, dependiente del imperialismo, que venía a suplantar al socialismo en Cuba. Su presencia en Cuba adelantaba, en tanto avanzada del capitalismo, el esquema básico del sistema que se venía a implantar nuevamente. Por eso hemos encontrado, además, que ese grupo encierra una jerarquía de funciones, dependientes las unas de las otras, y que sintetiza compendiando la estructura del poder de la *burguesía*, el religioso, el hombre de la libre empresa, el militar, el torturador, el diletante, el filósofo racionalista, el político y los hijos de buenas familias. Cada uno de ellos muestra un modo peculiar de aproximarse a esa realidad única en la cual todos coinciden. Su persistencia se hace posible en esta unión solidaria. En la reconstrucción de la división del "trabajo" social capitalista, escindido, podemos leer una misma finalidad, a pesar de las diferencias. Ésa es la unidad que cada uno de sus integrantes, para eludir su propia responsabilidad, quiere desintegrar. En el caso presente del torturador se trata de mostrar cómo esa responsabilidad rechazada por la totalidad es devuelta y reivindicada por un miembro del grupo mismo. En efecto, el asesino torturador, caso extremo de esa división del trabajo, recurre a la categoría de la totalidad para reivindicar su irresponsabilidad moral. Aquí veremos surgir otro aspecto de esta dialéctica moral que enlaza a los diferentes "trabajadores" de una misma clase. Habíamos visto, en el caso de Rivero o del sacerdote, cómo los miembros de la sociedad burguesa, en la medida en que deben asumirse como actividad colectiva, no se atreven a confesar su pertenencia a la *totalidad* es una totalidad heterogénea en la cual los individuos que la componen no pueden reconocerse entre sí, pues las funciones que la hacen posible —funciones basadas en el privilegio, en la represión, en el asesinato, en el engaño— son funciones inconfesables.

# Capítulo 15

# ENSAYOS Y DEBATES SOBRE LOS MODELOS SOCIALISTAS

Como sabemos, Carlos Marx se dedicó a escribir detallados y documentados análisis sobre el funcionamiento y las leyes que regían el funcionamiento de la sociedad capitalista. Pero su labor no se limitaba al terreno teórico: colaboró activamente con varias de las insurrecciones que se produjeron en la Europa de su tiempo, como la que en 1848 estalló en Alemania o en 1870 en París. Se convirtió en un destacado organizador de la Asociación Internacional de los Trabajadores e importantes documentos de la Primera Internacional responden a su pluma. Sin embargo, es muy poco lo que produjo acerca de las características específicas de la sociedad socialista futura. En franca polémica con los utopistas, era reacio a describir la ingeniería de «Arcadias» para el día después de la revolución, pero consecuente con su materialismo no tenía dudas de que ésta se iba a producir y que el proletariado industrial estaba convocado a jugar el rol protagonista. Ergo, Inglaterra, Alemania o Francia eran el escenario posible para instaurar lo que el *Manifiesto del Partido Comunista* (1848) definió como el verdadero régimen democrático, el proletariado convertido en la nueva clase dominante.

Es cierto que sobre el fin de su vida Marx matizó sus expectativas respecto a que la revolución que alumbraría la nueva sociedad tuviera como epicentro a los países más desarrollados de Europa occidental, pero en 1883 le resultó imposible ver la puesta en práctica de una u otra hipótesis. Por ello, en relación al núcleo duro del cuerpo de ideas marxistas, resultó irónico que la subversión de la sociedad burguesa tuviese por *locus* un país atrasado, con la inmensa mayoría de la población viviendo en condiciones paupérrimas en el campo y con un fuerte dominio del capital extranjero en industrias y otros sectores de la economía. Corresponde a Rusia situarse a la vanguardia de la constitución de un nuevo Estado que permita conducir la transición al socialismo. Corresponde a Lenin teorizar y dirigir prácticamente la experiencia que en octubre de 1917 sella el triunfo de la alianza revolucionaria de los obreros y campesinos. Tras el triunfo sobre las armas hitlerianas y luego de la Segunda Guerra Mundial, la URSS alcanza un relativo desarrollo económico y se convierte en la rectora directriz de la construcción del socialismo en Europa oriental y en Asia.

La descolonización se desarrolló en el marco de nuevas coordenadas históricas que le permitieron ganar un fuerte impulso. Políticas anticapitalistas eran ensayadas en las anteayer dependencias coloniales de las viejas metrópolis, sin que esto destruya o tan siquiera debilite el centro mismo del área capitalista dominada por los Estados Unidos. Atraso secular y socialismo de Estado fueron dos notas que se presentaron asociadas en la segunda mitad del siglo XX, en una línea de razonamiento que percibía cada cambio en los países subdesarrollados como un avance en la tarea epocal de transición del decrépito capitalismo al proteico socialismo. El triunfo de la Revolución Cubana se lee como una confirmación de esta tendencia irrefrenable de la Historia. El ciclo revolucionario se ha hecho extensivo a América Latina y la globalización socialista es su sino.

La definición socialista de la Revolución Cubana recogía entonces una tradición de debate teórico de más de un siglo y de realizaciones prácticas de más de cuatro décadas. Los ritmos de la liquidación de la vieja sociedad, la injerencia del plan central en la regulación económica, el grado de colectivización de los medios de producción, el desarrollo de las fuerzas productivas y el papel de la superestructura cultural fueron tópicos revisados y discutidos en el contexto de un proceso que se gestaba de abajo hacia arriba y se implantaba con una cuota de empirismo a través de ensayos y errores. Al socialismo periférico que se construía en Cuba se le sumaba la particularidad de desenvolverse a escasos kilómetros de la nación capitalista más importante del planeta.

De 1959 a 1961 se proyecta en Cuba la denominada vía no capitalista de desarrollo. Se busca crear una economía mixta conjugando la reforma agraria y la nacionalización del gran capital para promover un proceso de modernización de la isla.

En sentido estricto la primera legislación en materia de reforma agraria había sido sancionada por el MR 26 J en los territorios liberados por las columnas guerrilleras en octubre de 1958. El concepto que inspiraba esa medida era, desde el punto de vista ideológico, conceder «la tierra al que la trabaja», es decir atender a la demanda pequeño-burguesa como lo definía el Che Guevara, pero al mismo tiempo esto implicaba una declaración de guerra al latifundio y un cuestionamiento a los hacendados que en alguna medida también se encontraban representados a la hora de la firma del Pacto de Caracas. La Ley de 1959 no niega el derecho de los extranjeros a la propiedad y su elemento más «radical» es el de establecer un límite a la superficie de los campos, fijando un mínimo de dos caballerías (27 hectáreas) y un máximo de 30 caballerías (402,6 hectáreas). Lo que se busca es establecer un parámetro intermedio entre el minifundio y el latifundio.

En 1961, el sector privado concentraba el 59,01 por ciento de la tierra, pero convivía con las Granjas del Pueblo que ocupaban el 29,16 por ciento y las cooperativas agrícolas con la apropiación del 11,83 por ciento del total. De este dato surge que aún no hay una orientación socialista clara, sino más bien un avance sobre la base del criterio de ensayo y error. Paralelamente, los poseedores de menos de cinco caballerías se adhieren a la ANAP (Asociación Nacional de Agricultores Pequeños).

En julio de 1960 se aprueba la Ley 851 de nacionalización de las empresas extranjeras. Lo mismo sucede en octubre, pero con las empresas de capital cubano.

Un bloque de fuerzas sociales y políticas, no sin tanteos y enfrentando la resistencia de la reacción, van definiendo un rumbo de cambios estructurales. La política exterior se redefine en términos de no alineamiento y antiimperialismo activo.

A partir de 1961 se comienza a buscar un modelo de socialismo coherente que sirva de norte. Un conjunto de destacados intelectuales marxistas visitan la isla para exponer sus puntos de vista, como Leo Huberman, Paul Sweezy, Paul Baran y Ernest Mandel; también arriban asesores técnicos de la URSS y Checoslovaquia. Pero a pesar de estos esfuerzos hasta mediados de la década de los 60 coexisten estrategias diferentes.

El socialismo de mercado a la manera ensayada por Yugoslavia y respaldado por intelectuales franceses, como Dumont y Bettelheim, fue dejado de lado. Por el contrario, avanza una estalización de casi todos los sectores económicos y se adopta un modelo de planificación física fuertemente centralizado y típico de la economía soviética introducida a finales de los años 20. Por otra parte, esta metodología había sido adoptada por los países de Europa del Este.

El centro administrativo era ocupado por la JUCEPLAN, encargada de formular los planes económicos anuales y de alcance medio, así como también de su puesta en práctica, valiéndose para ello de una red de ministerios y agencias estatales que administraban las propiedades recientemente colectivizadas. Se funda también un nuevo Ministerio de Industria, que concentra las fábricas del Instituto Nacional de Reforma Agraria (INRA) y las nuevas industrias nacionalizadas. El Banco Nacional controlaba todo lo perteneciente a la moneda, los depósitos y los créditos. Se creó el Ministerio del Azúcar y el Ministerio de Hacienda. El comercio exterior estaba nacionalizado y desde la cartera de Trabajo se fijaban los salarios y las normas de producción a escala nacional.

En 1958 había aproximadamente 38.300 empresas industriales; hacia 1961, la producción industrial se concentraba en un conglomerado de 18.500 empresas.

Se ensayan diversos mecanismos de dirección y de planificación económica, como los delineados por el polaco Michael Kalecki, el francés Charles Bettelheim y el ruso Efinov. Todos estos resultaron inaplicables.

Se buscó diversificar la agricultura, reduciendo el área de cultivo de azúcar y promoviendo nuevos productos como el arroz, el algodón, frutas y verduras. También se expandió la flota pesquera, creció la inversión en la industria y en 1961 el ministro de Economía, Regino Boti, pronosticó que en los próximos años Cuba sería la vanguardia de América Latina en producción por habitante de electricidad, acero, cemento, tractores y petróleo refinado. Estos ambi-

*Milicianos desfilando por el Malecón (1961).*

ciosos proyectos se vieron frustrados por múltiples factores: a) tras la Revolución un número importante de técnicos e ingenieros emigraron; por tanto no se contaba con los cuadros técnicos necesarios; b) los ministerios debieron ser cubiertos con personal que apenas si empezaba a tener una experiencia en la materia; c) los equipos de manufacturas provenientes del bloque socialista eran obsoletos, y d) la prospección petrolera arrojó un resultado decepcionante. Finalmente, el 98 por ciento del petróleo utilizado en la isla fue suministrado por la URSS.

En 1961 la URSS compró el 51 por ciento de las exportaciones cubanas de azúcar y otro 25 por ciento lo hicieron el resto de los países socialistas.

El crecimiento económico registrado ese año se debió al impulso dado por la segunda zafra mayor de la Historia. Pero la situación se agravó durante los dos años siguientes. La reducción del 25 por ciento del área cultivada con caña de azúcar y la desorganización creada por la rápida colectivización hizo que las cosechas de 1962 y 1963 descendieran sensiblemente. Tampoco los productos agrícolas alternativos podían exhibir logros importantes y hasta los cerdos disminuían. Contrariamente al pronóstico de los dirigentes, los indicadores macroeconómicos mostraban un retroceso en casi todos los sectores. El desempleo se redujo significativamente y se mantuvo el énfasis en la redistribución de los ingresos, pero la estrategia de industrialización rápida con diversificación agrícola y el modelo de planificación centralizado se demostraron a todas luces como ineficientes.

En el campo, en 1962 las estadísticas revelan un sensible crecimiento del sector estatal, en detrimento del sector privado rural. En 1963 el primero abarca 5.500.000 hectáreas (el 60,1 por ciento del total) y el sector privado 3.500.000 hectáreas (el 39,3 por ciento del total). Las Granjas del Pueblo implican una forma de explotación colectiva en tierras

| | 1957 | 1959 | 1961 | 1963 | 1966 |
|---|---|---|---|---|---|
| Azúcar | 5.672 | 5.964 | 6.767 | 3.821 | 6.082 |
| Tabaco | 42 | 36 | 58 | 48 | 43 |
| Café | 44 | 48 | 48 | 35 | 28 |
| Arroz | 261 | 326 | 207 | 184 | 160 |
| Granos | 36 | 35 | 34 | 27 | 30 |
| Carne de res | 185 | 200 | 163 | 143 | 165 |
| Pescado | 22 | 28 | 30 | 36 | 40 |
| Leche | 806 | 770 | 700 | 695 | 705 |
| Huevos | 275 | 341 | 433 | 483 | 920 |
| Níquel | 20 | 18 | 15 | 20 | 27 |
| Cobre | 20 | 18 | 5 | 6 | 6 |
| Manganeso | 30 | 25 | 10 | 33 | 33 |
| Cemento | 673 | 673 | 871 | 812 | 801 |
| Electricidad | 2.357 | 2.806 | 3.030 | 3.057 | 3.355 |
| Zapatos | — | 17 | 7 | 19 | 16 |
| Cerveza | 1.292 | 1.557 | 1.394 | 891 | 993 |
| Cigarros | — | 591 | — | 369 | 655 |
| Cigarrillos | 9.803 | 11.434 | 13.611 | 15.347 | 16.462 |

que han sido nacionalizadas. En 1966 el sector estatal se extiende hasta en un 70 por ciento. La segunda Ley de Reforma Agraria nacionaliza todas las propiedades mayores de cinco caballerías. Con esta medida se elimina una categoría social hostil a la Revolución. También son reorganizadas las Granjas del Pueblo.

En un cuadro elaborado por el especialista Carmelo Mesa Lago se puede apreciar la evolución seguida por los principales productos que conforman la economía cubana en un arco temporal previo y posterior al triunfo de la Revolución. (Ver pág. anterior.)

Como se desprende de la lectura del cuadro existe un incremento en sectores como el azúcar, huevos o cigarrillos, pero la mayoría se estancan o retroceden, como el cobre, la leche o el arroz.

En el informe que Fidel Castro presenta en el Primer Congreso del Partido Comunista de Cuba en 1975, se detalla que entre 1961 y 1965 el producto social global aumentó a un ritmo apenas del 1,9 por ciento, ritmo que se incrementó al 3,9 por ciento entre 1966 y 1970, siempre según las estadísticas oficiales.

Los anémicos resultados aumentaban el debate sobre los modelos alternativos a ser aplicados a la organización económica socialista. Se decidió volver al azúcar como motor del desarrollo y prorrogar la industrialización pesada. El debate tuvo profundas implicaciones económicas, ideológicas y políticas, siendo las dos figuras más representativas de las posiciones enfrentadas Ernesto Che Guevara y Carlos Rafael Rodríguez, respectivamente.

Ernesto Che Guevara se apartaba de la doctrina soviética convencional y consideraba que las condiciones subjetivas podían influir sobre la base material en la que debía edificarse el socialismo en la isla. En el ámbito material propuso la eliminación total del mercado y por tanto de la ley de la oferta y la demanda. Para ello se apeló a la plena colectivización de los medios de producción, a una planificación fuertemente centralizada, al sistema de financiamiento presupuestario, a la eliminación de transacciones mercantiles entre empresas, prioridad a los estímulos morales e incluso se llegó a plantear la desaparición del dinero. Desde el punto de vista subjetivo, Guevara apostaba por la creación del Hombre Nuevo, que, contrario al Homo Economicus de la economía neoclásica, no tenía por móvil el interés egoísta, ni el afán de lucro, sino el patriotismo y la solidaridad. El socialismo era concebido como un sistema en el cual cada uno producía de acuerdo a sus capacidades y recibía de acuerdo a sus necesidades. La conciencia estaba llamada a educar al trabajador y a regir el comportamiento global de la sociedad.

Carlos Rafael Rodríguez, militante del Partido Comunista desde los años 40 y director del INRA, veía en las reformas económicas propuestas por Liberman mecanismos correctivos de la anémica economía soviética. El argumento era que debían respetarse las leyes específicas que implicaban la transición del pasado capitalista al futuro comunista. En esta fase no podían eliminarse mecanismos de mercado para complementar y mejorar la planificación central. Las empresas locales tendrían un margen de autonomía para contratar y despedir mano de obra, priorizar inversiones y administrar sus stocks. Creía que el planteamiento de Guevara era idealista y que los estímulos materiales tenían que formar parte de los instrumentos económicos.

Ambos coincidían en la necesidad de la planificación central; sin embargo, diferían en algunos puntos importantes. Como ya se dijo, el Che era partidario de una planificación que ligara minuciosamente el intercambio entre todas las unidades productivas, funcionando como componentes de un único mecanismo. Sus oponentes preferían un uso selectivo de mecanismos de mercado y más autonomía a las empresas.

Ambos modelos funcionaron de manera simultánea en la economía cubana. El modelo guevarista se aplicó primordialmente en el sector industrial, mientras en la agricultura y el comercio se admitieron parámetros libermanistas.

En el citado informe del secretario general del Partido Comunista se destaca que se han cometido «errores de idealismo» e incluso se llegó a desconocer «que existen leyes económicas objetivas», a las cuales todos deben atenerse.

En 1965 empezaron a proliferar planes sectoriales para el azúcar, la ganadería, la electricidad y otros. El presidente Dorticós se puso al frente de la JUCEPLAN y el primer ministro, Castro, asumió el control del INRA, concentrando así todo el poder económico en las máximas autoridades del Estado.

Durante los tres años que duró la polémica, Castro se abstuvo de intervenir en la misma y fue justamente en 1965 cuando Guevara deja su puesto en el Ministerio de Industria y Rodríguez hace lo propio como director del INRA. En 1966 Fidel Castro anuncia las nuevas bases sobre las que habrá de funcionar la economía en la etapa que se abre. Retrospectivamente, sostiene que la decisión tomada fue la menos correcta, pues se inventó un nuevo procedimiento tan distante del cálculo económico como del sistema de financiamiento presupuestario.

Las campañas antiburocráticas se multiplican y la cosecha de 1970 fue de 8,5 millones de toneladas, estableciendo un nuevo récord histórico, pero ubicándose un 15 por ciento por debajo de la meta que se había fijado (la «famosa» zafra de los diez millones de toneladas). El déficit comercial y la deuda con la URSS continuaban incrementándose y la industrialización una vez más se postergaba. El número de turistas que anteriormente a la revolución había alcanzado los 270.000 registra ahora apenas 2.000.

En resumen, en esta etapa el crecimiento económico se estancó, la dependencia del azúcar como principal producto de exportación se incrementó, mientras la producción del sector no azucarero en su gran mayoría registró una caída. Entre los logros se debe contabilizar el pleno empleo, la plena universalización de los servicios sociales, la gratuidad de importantes servicios públicos y la eliminación del analfabetismo.

Para el periodo 1975-1985 se reintroduce el plan central con algunos instrumentos de mercado. El azúcar mantiene su predominio y Cuba ingresa en el COMECOM. También aumenta la deuda externa con Occidente.

Entre 1986 y 1990, mientras la URSS aplica la *perestroiska* y asigna un papel cada vez más importante al mercado, Cuba propone un «proceso de rectificación» acelerando la eliminación de fincas privadas, suprimiendo los mercados campesinos y eliminando prácticamente toda la actividad del sector privado; en pocas palabras, se produce una recentralización y las tarjetas de racionamiento rigen para la casi totalidad de los productos de consumo diario de las familias. Desaparece el comercio con el bloque de Europa oriental, ya que en 1991 es disuelto el COMECOM. Cuba se ve obligada a redirigir su comercio hacia China y las economías de mercados y el IV Congreso del PC de Cuba se enmarca en el período especial en tiempos de paz, pero bajo la banda de «socialismo o muerte».

# Capítulo 16

## PROYECCIONES DE LA REVOLUCIÓN CUBANA EN AMÉRICA LATINA

Desde el asalto al Moncada el 26 de julio de 1953 hasta el desembarco del *Granma*, y desde la Sierra Maestra hasta la liberación de la ciudad de La Habana el 1 de enero de 1959, la Revolución en marcha enciende, dispara, detona haces de significados tanto hacia el interior de la isla como más allá de sus fronteras. El paso de la fase democrática a la socialista asumida plenamente en 1961 multiplica y disemina nuevas significaciones. Los esquemas y prejuicios tratan de fijar, atar, atornillar una dinámica que los desborda. Nacionalismo y antiimperialismo. Redención social y soberanía. Las combinaciones y los matices pueden ser múltiples, e incluso antagónicos. Veamos un ejemplo de lo que sucede inmediatamente después del triunfo de los barbudos.

La Argentina entre 1943 y 1946 vivió lo que fue la gestación del peronismo y desde esa fecha hasta 1955 el país estuvo gobernado en dos períodos presidenciales consecutivos por el general Juan Domingo Perón. En septiembre de aquel año, un nuevo golpe de Estado encabezado por las Fuerzas Armadas deponen al presidente elegido por sufragio popular. Perón parte hacia el exilio, pero en la Argentina va a pervivir durante varías décadas la antinómica identidad peronista y antiperonista. La carga de simbología que estructura cada una de estas identidades dificulta un espacio intermedio, pues unos prohíben la marcha peronista, los otros la reivindican; unos hablan del tirano prófugo, otros del primer trabajador y gran conductor.

En la Argentina de finales de la década de 1950 e inicio de la siguiente, es posible identificar un espectro amplio y contradictorio de apoyo y simpatía hacia la triunfante Revolución Cubana. La vida política del país estaba atravesada por la antinomia peronismo y antiperonismo y es este contexto el que brinda las claves explicativas, y más aún que la «guerra fría», las primeras lecturas en torno del proceso que se estaba viviendo en Cuba.

En la Argentina, casi inmediatamente después del arribo del *Granma* a Cuba, en 1956, se organiza un Comité de Apoyo a los combatientes del Movimiento 26 de Julio. El grupo Praxis, que dirigía el intelectual marxista Silvio Frondizi, y gran parte de la izquierda ponían reparos a aquella empresa e igualaban a Batista con Fidel, en la medida que se caracterizaba a ambos como «agentes del imperialismo», con el matiz de que Castro representaba el «ala democrática». Después del triunfo de 1959, Silvio Frondizi viaja a la isla y se compromete con la Revolución. Durante el período de 1966 a 1973 oficia de abogado de los combatientes de la guerrilla encarcelados por el régimen militar argentino. En 1974 cae asesinado por el grupo paramilitar de extrema derecha Asociación Anticomunista Argentina.

Alfredo Lorenzo Palacios, que fuera el primer diputado socialista elegido en América Latina, viajó a Cuba en mayo de 1960 para poder conocer sin mediaciones lo que estaba sucediendo en la isla. A su regreso, presenta su experiencia en distintas conferencias (en la Facultad de Medicina de la Universidad de Buenos

Aires y en el paraninfo de la Universidad de la República; en Montevideo, por iniciativa de la Asociación de la Prensa Uruguaya). Para Palacios se trataba de una revolución antidictatorial, que tiene a la juventud como el principal motor y al ideario martiano como autor intelectual y moral de su actuación. Asimismo rechaza las denuncias respecto de la orientación encubierta de los comunistas del proceso. Para ello cita a Waldo Frank, el ilustre escritor norteamericano: «La Revolución no es materialista ni atea; no es comunista ni sus hombres compañeros de ruta. Su líder espiritual es Martí. Yo he pasado largas horas con Fidel Castro y otros jefes de la Revolución. Son reformadores sociales; no son comunistas ni ellos ni sus métodos, y, lo que es más importante, ni sus temperamentos.» En el mismo sentido cita al general Alberto Bayo, quien afirma que «no encontró a ningún comunista entre los hombres que entrenó para la campaña revolucionaria, incluso Guevara».

Considera que las tareas fundacionales del equipo que asumió la conducción de los destinos de la isla actúan sin sujeción a doctrinas, sistemas o partidos políticos. Compara esta labor con Rivadavia, quien fuera el primer presidente de la Argentina, al que califica de «el más grande hombre civil de la República».

Quiere dejar constancia también de que las expropiaciones de tierras, hechas en el marco que impone la Ley de Reforma Agraria, reciben como indemnización bonos redimibles a veinte años, con una tasa de interés anual no mayor al 4,5 por ciento. E inmediatamente recuerda que, tras la Segunda Guerra Mundial, la reforma agraria implantada por Estados Unidos en el Japón, durante la regencia del general Douglas MacArthur, se pagaron bonos redimibles con un interés del 3,5 por ciento.

En materia petrolera, la expropiación a las compañías norteamericanas que se negaban a refinar el petróleo importado por Cuba no es más que una imitación a lo hecho en 1932 por «su noble hermano la República Oriental del Uruguay». Los orientales habían implantado el monopolio de la refinación y los Estados Unidos e inglaterra le declararon el boicot a esa iniciativa. Eduardo Acevedo, primer presidente de ANCAP, hizo la primera destilación con un embarque de petróleo que provenía de Rusia, hasta que finalmente las metrópolis capitalistas modificaron su posición.

En lo concerniente a la libertad de prensa y la Revolución triunfante, Palacios admite que en Cuba se han clausurado algunos diarios contrarios a la revolución y defensores del tirano. Pero aclara que ello no es muy distinto a lo sucedido con la Revolución Libertadora, que en 1955 depuso mediante el uso de la fuerza al gobierno electo del general Juan Domingo Perón. Recuerda que su partido colaboró con el nuevo gobierno formando parte de la junta consultiva y que incluso él mismo actuó como embajador.

El nuevo gobierno «venía a suprimir todos los vestigios de la dictadura, desmantelando la estructura y forma totalitarias». Para Palacios la expresión más acabada de esas estructuras totalitarias la constituían «los diarios corrompidos que sostenían al tirano»; por eso se justificaba su incautación y transferencia al patrimonio nacional; entonces se interrogaba: «¿La Revolución Cubana, que ha transformado la estructura social, tiene menos derechos que los que tenía la Revolución Libertadora argentina?»

Mientras Palacios encontraba en la Revolución Cubana y en la Revolución Libertadora el común denominador de haber combatido y derrotado a «despreciables tiranuelos de Nuestra América», John William Cooke defiende de manera incondicional la figura de Fidel Castro, apelando a la analogía con Juan Domingo Perón.

Recordemos que John William Cooke había sido designado en 1956 por Perón como «único jefe que tiene mi mandato para presidir a la totalidad de las fuerzas peronistas organizadas en el país y en el extranjero y sus decisiones tienen el mismo valor que las mías». Un par de años más tarde es desplazado de ese cargo, pero mantiene su militancia en el interior del movimiento peronista, que él interpreta en términos revolucionarios. En un reportaje publicado en La Habana en 1961 (donde residía desde el año anterior) se preguntaba: «¿Hay algún personaje en la Argentina que logre, como Fidel Castro, que todas las cabezas de privilegio se unan para acusarlo de demagogo, comunista, totalitario, chusma, perjuro, punguista, motonetista, barba azul, asesino incendiario, anticristo y otras lindezas semejantes, y contra el cual pidan el cadalso, la bomba atómica o la muerte a manos de los "marines" yanquis?» Su respuesta era inequívoca, y en contra de aquellos sectores del nacionalismo vernáculo que establecían distancias entre Perón y Castro respondía: «Me resulta muy difícil entender cómo puede indignarnos la difamación contra la versión pampeana del monstruo y quedarnos mudos cuando la víctima es la versión tropical».

A Cooke le preocupaba el hecho de que las obras de escritores antiperonistas como Victoria Ocampo o Jorge Luis Borges suscitaran tanto interés y difusión en la isla; sin embargo, confiaba en poder generar una tendencia alternativa dando a conocer los trabajos de Juan José Hernández Arregui, José María Rosa o Fermín Chávez.

Esta paradoja, que nos conduce a que la figura del derrocado presidente Juan Domingo Perón pueda ser asimilada, según unos, al igualmente destituido Fulgencio Batista, según otros al victorioso y denostado Fidel Castro, nos advierte del peligro de establecer una lectura superficial que imagine el impacto subjetivo de la Revolución Cubana como el vector unidireccional de penetración del foquismo en la Argentina.

Entre 1960 y 1968 son numerosos los grupos integrados por sectores jóvenes que rompen con las organizaciones nacional-populistas al estilo del APRA peruano o Acción Democrática en Venezuela, o en menor medida procedentes de los partidos comunistas, y se lanzan a emular la experiencia cubana de guerrilla rural. Entre otros, nos encontramos con que: en Venezuela, surgen las Fuerzas Armadas de Liberación Nacional, dirigidas por Douglas Bravo y el Movimiento de Izquierda Revolucionaria de Américo Marín; en Guatemala, un militar progresista, Yon Sosa, organiza el Movimiento Revolucionario 13 de Noviembre; en Perú Luis de la Puente Uceda lanza el MIR y Héctor Béjar el Ejército de Liberación Nacional.

Para evitar el contagio revolucionario que despertaba en todo el continente el ejemplo cubano, el presidente de los Estados Unidos, Jhon F. Kennedy, anuncia en marzo de 1961 un amplio programa de ayuda financiera para aplicar al desarrollo de los países latinoamericanos denominado Alianza para el Progreso. La ALPRO se anuncia antes de la fracasada aventura de playa Girón y está guiada por el concepto de que el «castrocomunismo» debía ser combatido por medio de reformas a las estructuras sociales de los países subdesarrollados, más que por el expediente del uso del despliegue de las fuerzas militares.

En la práctica, los resultados de la Alianza para el Progreso fueron muy pobres y estuvieron lejos de cubrir algunas de las expectativas que habían planteado. Tras el asesinato de Kennedy en 1963, la Alianza desaparece con él. Sin embargo, no puede eludirse el hecho de que los problemas de fondo que atraviesan cada una de las naciones al sur del río Bravo requieren respuestas que trascienden el marco meramente nacional. La Alianza para el Progreso intentó ser una respuesta regional y de manera alternativa, desde mediados de los años 60, las lecturas y elaboraciones que se hacen respecto de la Revolución Cubana buscan instalar otros ejes para atender al desafío del crecimiento económico y la igualdad social.

Desde las luchas por la independencia en el siglo XIX, los cubanos se sentían hermanados con otras expresiones caribeñas igualmente oprimidas, como los dominicanos y puertorriqueños, y Fidel Castro en numerosas oportunidades se había pronunciado por el derrocamiento de dictadores como Somoza en Nicaragua, Duvalier en Haití y Trujillo en República Dominicana. Las jornadas revolucionarias de abril de 1965 contra el continuismo del trujillismo vuelven a agitar el fantasma del comunismo azuzado por el Departamento de Estado.

El historiador y periodista Gregorio Selser, un intelectual de reconocida influencia por su vasto y sistemático trabajo en torno de las relaciones entre América Latina y Estados Unidos, publicó numerosos títulos como: «Sandino, general de hombres libres»; «Alianza para el Progreso, la mal nacida»; «Las intervenciones norteamericanas en América Latina» y varias obras más. En su libro «¡Aquí Santo Domingo! La tercera guerra sucia», que incluye una voluminosa compilación en la que intentó documentar cómo se reaccionó en Estados Unidos y en Iberoamérica frente a lo que dio en llamar «la tercera guerra sucia». La primera que se desarrolla en Guatemala, se había iniciado en 1951 pero alcanzó su clímax en 1954 con el derrocamiento de Jacobo Arbenz; la segunda tuvo por escenario la bahía de Cochinos en 1961; la tercera se iniciaba a finales de abril de 1965 con el desembarco de los marines norteamericanos en la isla de Santo Domingo. Selser ha dejado de lado presentar las razones y sinrazones del gobierno norteamericano, pues éste cuenta con millonarios recursos para difundir sus puntos de vista.

En la década de los 60 sellos editoriales como Abril y Time-Life Editores buscan modernizar el discurso periodístico. En varios países de América Lartina, semanarios u otros formatos se presentan con las características de modelos como *Newsweek* en Estados Unidos o *Der Spiegel* en Europa. Apuntan a captar un nuevo público, configurado mayoritariamente por su pertenencia a una clase media ampliada a partir de los procesos de industrialización vividos en las últimas décadas, con niveles importantes de escolarización obtenidos y que otorgan a lo cultural un lugar de reconocimiento.

Inscritas en el período de la «guerra fría», asumen un discurso claramente anticomunista y pronorteamericano. Así se puede leer un informe sobre México como el que presenta la revista *Panorama*, publicada en Argentina y de distribución en varios países del Cono Sur, cuando a mediados de la década del 60 titulaba: «La plaza fuerte de los comunistas». La nota comienza subrayando que la presencia de Fidel Castro en Cuba es la prueba más evidente de la «penetración comunista» en América Latina, pero no la única. «En remotos rincones del continente —continúa la nota— hay lugares en los que los rojos controlan efectivamente la región, o están a un paso de hacerlo», como sería el caso del Estado de Michoacán en México, la «plaza fuerte» del ex presidente Lázaro Cárdenas, quien a los 68 años se conserva como el «ardiente izquierdista» que treinta años antes nacionalizó las compañías petroleras extranjeras. Aunque el gobernador impuesto por el PRI es de «sólida tendencia anticomunista», los rusos han logrado consolidar su influencia en terrenos como las escuelas rurales; por ello, con alarma se denuncia que en ese Estado existen mayor número de mapas de Rusia que de México y en Morelia el Instituto Cultural Soviético-mexicano tiene más arraigo que su homólogo norteamericano-mexicano.

Uno de los mayores peligros parece residir en el hecho de que los libros donados por la embajada soviética contienen frases como éstas: «Los Estados Unidos son un monstruo de tres cabezas, que piensa en Wall Street, ruge en el Pentágono y rebuzna en la Casa Blanca», y que la Universidad se presenta como un reducto en el cual el 25 por ciento del estudiantado se adhieren convencidos al comunismo. Conviene no olvidar, entonces, que cuando se produjo la invasión a la bahía de Cochinos, «estudiantes enardecidos» quemaron el Instituto Mexicano-Norteamericano y, hasta marzo último, «un comunista declarado» era el rector de la Universidad de Morelia. Eli de Gortari fue removido después de cuarenta días de manifestaciones, sucesos que concluyeron con la muerte de un estudiante y la llegada de tropas y aviones enviados por el gobierno federal. De una auditoría parece haber surgido que De Gortari «había dispuesto de una suma equivalente a siete millones de pesos argentinos, sustraídos de los fondos de la Universidad»; el destino según se informa no habría sido otro que financiar publicaciones y organizaciones antinorteamericanas y procomunistas. A pesar de la represión, el lector argentino toma conocimiento de que «aún quedan diez rojos en el instituto superior» de aquel lejano país y que «sus enseñanzas fructifican».

El escenario está supuestamente a miles de kilómetros, pero sus actores y las coordenadas con las que actúan bien podrían aplicarse a cualquier punto de América Latina. El enemigo es el comunismo, tanto en su encarnación cubana como rusa; las personalidades representativas de políticas nacionalistas como Cárdenas en México (¿por qué no Perón para el caso argentino?) serían con su «izquierdismo» aliados o facilitadores del avance del comunismo. La Universidad se presenta como el terreno privilegiado en el cual desplegar la represión frente a la agitación estudiantil. Pero las críticas también se dirigen hacia el embajador de los Estados Unidos, que parece encarnar una política de convivencia y no de confrontación activa contra el comunismo. Thomas C. Mann, en dos años de residencia en México, no ha pisado suelo michoacano y admite que «no nos hemos puesto al día en ese Estado». Se concluye entonces que esto «deja el campo libre a la propaganda roja» en un territorio extenso y densamente poblado, así como en una Universidad de las más antiguas del continente, fundada en 1540, después de la de Santo Domingo.

La confrontación Este-Oeste aparece sobredeterminando todos los conflictos locales y regionales, aun cuando éstos se presentan en apariencia muy alejados del antagonismo comunismo-anticomunismo. La «guerra fría» es la clave de lectura que permite comprender la lógica en la que se inscribe el torbellino de acontecimientos que configura la escena contemporánea; por tanto, la misión de estas revistas es suministrar un conjunto de información que a través de la organización con que es presentada la misma permita a los lectores desvelar el verdadero sentido de los sucesos y actuar en consecuencia.

A principios de 1965 en algunos medios se reproducen las noticias concernientes a un ensayo de guerra de tropas norte y latinoamericanas librada contra el «enemigo interior». El «corresponsal de guerra» informa sobre el «triunfo de las fuerzas armadas interamericanas contra el comunismo y sobre la derrota de los ciegos en el peligroso drama de la miseria y el hambre de América latina».

Los lectores se informan de que se acaba de salir de una guerra desencadenada a partir de «un legajo ultra secreto de más de doscientas páginas», en el cual el general Germán Pagador Blondet, comandante en jefe del Estado Mayor de las Fuerzas Armadas del Perú, solicita a los uniformados de otras partes del continente su intervención ante la sublevación de «un sector del pueblo peruano, en su mayoría proletarios, estudiantes, indios, mineros y campesinos», que luchan contra el ejército por obtener el control de la República. El cronista se apura a mencionar que: «al parecer, los revolucionarios habían recibido apoyo del exterior». Se trata entonces de una guerra nueva, o mejor dicho de una nueva doctrina de guerra. El «legajo ultra-secreto» plantea que todo ha cambiado desde el triunfo de la Revolución Cubana; ya no hay países, sólo existen dos mundos. Se modifica el concepto de soberanía y cada nación debe involucrase además, porque, siempre según las notas, los pactos militares interamericanos de asistencia recíproca así lo fijan. Que frente a esta petición de ayuda hayan respondido positivamente también Brasil, Chile, Colombia, Venezuela, Bolivia, Paraguay, Ecuador y los Estados Unidos significa que la solidaridad interamericana ha dejado de ser abstracta, «había cobrado rostro, sangre, fusil».

¿Cómo se coordinaría una fuerza militar integrada por siete banderas distintas? «Prevaleció el criterio del Pentágono»: se formó un comando unificado al mando del general peruano y un estado mayor integrado por un representante de cada país. 10.400 hombres fueron movilizados el 6 y 7 de diciembre de 1964 con el nombre de Operación Ayacucho. Con sentida emoción, el corresponsal de guerra nos dice: «desde los días de San Martín y Bolívar no se había visto una fuerza igual».

Los norteamericanos con sus recursos levantaron en Cochán, a 29 kilómetros de Lima, el campamento que habría de servir de base para el conjunto de las fuerzas y fueron a cada uno de los países a buscar a los soldados para poder realizar el ejercicio; sólo los argentinos llegaron por sus propios medios. Todo parecía transcurrir en un auspicioso clima de camaradería y fraternidad entre las distintas fuerzas armadas, cuando llegan las noticias de Lima, a través de una edición extra de un *tabloide* de gran tirada. En la primera plana se lee: «Lima, sembrada de bombas»; más abajo dice: «Una estalla en el Instituto Peruano-Norteamericano», y en una tercera: «Protestas populares por la Operación Ayacucho». En una ciudad de dos millones de habitantes, en la cual la mitad tiene hambre, «ha estallado la otra guerra». Esto obliga a suspender el desfile militar que se había planeado realizar en una de las grandes avenidas de Lima como coronación de la operación; ahora se hará en la ruta Panamericana en medio del desierto.

Los soldados de la «Operación Ayacucho» son felicitados por su destacado papel en la lucha contra el coronel Candela y su Plan Lucifer, pero no ha faltado quien advierta que, si bien una guerra había terminado, aquella que simulaba enfrentar una insurrección comunista personificada por un Fidel Castro al que le faltaba la barba, quedaba en pie la otra, la que transforma el hambre en «un arma secreta que está a disposición del primero que pase».

Sin duda que la Operación Ayacucho es un ejercicio político-militar que despliega el concepto de que la soberanía no se rige ya por límites geográficos sino por «sistemas de vida» y que la tutela de éste pertenece a la coalición militar que pondría en acción el TIAR. Sugestivamente, a pocos meses esta preocupación por la coyuntura no va a estar ausente. En efecto, la próxima Conferencia Interamericana de la Organización de Estados Americanos, convocada para el 20 de mayo en Río de Janeiro, volvía a colocar sobre la mesa de negociaciones el proyecto impulsado por los Estados Unidos de conformar una fuerza militar interamericana para intervenir en los conflictos internos de los distintos países del continente. Todo un programa de intervención militar en América Latina en el contexto de la «guerra fría».

En este contexto: ¿qué tratamiento se da al levantamiento del sector constitucionalista del ejército dominicano en abril de 1965? ¿Cómo se analiza la intervención unilateral norteamericana en la isla de Santo Domingo? ¿Cuál es la caracterización que se hace de Juan Bosch y de Francisco Caamaño Devo? ¿Qué papel debería jugar la OEA y la ONU en el conflicto?

Cuando el 24 de abril se inicia el levantamiento contra el gobierno militar de Reid Cabral, quien había depuesto en 1963 a Juan Bosch, presidente electo por más del 60 por ciento, y había suspendido la vigencia de la Constitución aprobada en ese mismo año, la revista *Panorama* del mes de abril ya estaba en la calle. Los acontecimientos se agravan con el correr de las horas. El bombardeo ordenado sobre la capital por el general Wessin para defender la continuidad del trujillismo sin Trujillo no logra doblegar a los rebeldes. Jóvenes oficiales como Caamaño y Montes Arrache se suman indignados al levantamiento, que cuenta además con la aprobación y entusiasmo de la mayoría de la población, que se vuelca en las calles para reclamar el retorno de Bosch y la vigencia del texto constitucional. Las tropas de Wessin se repliegan y la capital queda en manos de las milicias populares, encuadradas por oficiales rebeldes. La llegada de Bosch parece inminente. El día 28 el presidente Lyndon Johnson dispone, de manera unilateral, el desembarco de tropas norteamericanas para garantizar la vida y los bienes de los ciudadanos norteamericanos.

Mientras se abría un amplio debate sobre la crisis dominicana, la OEA intentaba generar alguna acción en torno de la cuestión y el tema de la invasión era denunciado en la Naciones Unidas. La propaganda anticubana pone en circulación un discurso apelando al ejercicio que se conoce como «teoría de los juegos», en el cual se intenta con la información disponible deducir cuál será el comportamiento futuro de los actores interactuantes. Se trata de «averiguar cuáles serán los próximos pasos del comunismo en nuestro continente». En qué medida el lector cree estar accediendo a una información privilegiada y participando de un ejercicio hermenéutico serio realmente lo ignoramos; lo que no deja de sorprender es el carácter caricaturesco con que son pintados los personajes. Así, el supuesto diálogo entre Fidel Castro y Ramiro Valdez, su ministro del Interior, bien podría ser una tira de *comics* para un público infantil, y la revista *Panorama* lo retrata así: entra el ministro del Interior y *«se quita el sombrero de piel al estilo ruso, al que se ha habituado»*, lo que ya es una indicación de que los comunistas caribeños no sólo se subordinan a las directivas de Moscú, sino que además adoptan la ropa típica de quienes viven en Siberia. *«Las noticias de República Dominicana* —comenta Valdez— *no podrían ser mejores»*; Fidel se apresura a interrumpirle para señalarle que

Johnson *«no es nada estúpido»*. Valdez asiente, pero agrega: *«Mientras él aprende nosotros trabajamos y hasta ahora las cosas nos van bastante bien. En unos pocos años...»*; un buen libretista de Hollywood hubiese reemplazado los puntos suspensivos por *«dominaremos el mundo»*. Castro refunfuña (*sic*): *«Unos pocos años... Todavía no tenemos ni un solo gobierno revolucionario en el poder.»*

Más allá de los estereotipos con que esta revista «seria» desarrolla la nota, las marcas ideológicas son claras. Después de Santo Domingo afirma en titulares: «¿Qué golpe prepara el dictador cubano?» La «amenaza comunista» no desapareció después de los episodios vividos en Santo Domingo; es más, «los rojos» afirmarían que «la situación en Santo Domingo nos ayuda mucho». En el supuesto informe que los imaginarios agentes de Castro podrían haber enviado a La Habana desde Buenos Aires se lee: «La calma que caracterizó al gobierno de Illia se rompió con los sucesos de Santo Domingo. La desembozada intervención del imperialismo yanqui obligó a muchos sectores centristas a tomar una actitud antiimperialista.» El principal beneficiario de la creciente movilización antiimperialista, según el mencionado informe, habría de ser principalmente el Partido Comunista.

En síntesis, los sucesos ocurridos en la República Dominicana no poseen entidad en sí mismos. Antes y después del 24 de abril de 1965 existía y existe la «guerra fría»; la naturaleza de ésta no se ha modificado o, lo que es más grave e inexplicable aún, la derrota del coronel Francisco Caamaño ha dejado sin embargo en mejores posiciones a los críticos del poder norteamericano y a los comunistas, lo que ha permitido a Fidel Castro poner en movimiento una nueva estrategia de alcance continental para terminar con «el mundo libre».

Para los intelectuales orgánicos del *establishment* no interesan los derechos que le asisten al depuesto presidente electo por el voto popular, Juan Bosch, de recuperar el gobierno; no discuten sobre la violación a la Carta de las Naciones Unidas y de la OEA: al intervenir militarmente los Estados Unidos de manera unilateral, no ven la movilización popular antiimperialista que se gestó a nivel continental para impedir el envío de tropas que legitimen los atropellos al derecho internacional que busca imponer la Doctrina Johnson.

La estrategia contrarrevolucionaria había sido claramente esbozada en noviembre de 1963 por el entonces presidente John F. Kennedy cuando declaró: «Nosotros debemos usar todos los recursos a nuestro alcance para prevenir el establecimiento de otra Cuba en este hemisferio.» El fracaso de Playa Girón y de la Alianza para el Progreso obligaron a los Estados Unidos a redefinir su estilo de intervención. Tras el asesinato de Kennedy, la aplicación de la Doctrina Johnson no deja lugar a dudas. Cualquier líder político con amplio apoyo popular puede convertirse potencialmente en un nuevo Fidel Castro; por ello el Pentágono está llamado a cumplir el rol principal en la etapa. Como vimos, de nada sirve que Juan Bosh hubiese llegado a la presidencia por medio del sufragio popular y que manifestara permanentemente estar dispuesto a respetar la Constitución. La dinámica del pueblo en las calles decide a los Estados Unidos a emprender sin demora la ocupación militar, y apelar una vez más a la OEA como el instrumento adecuado para cohonestar esa acción.

Al mismo tiempo las numerosas experiencias guerrilleras rurales que se desarrollaron en el subcontinente en su mayoría fracasaron. La capacidad represiva de los estados latinoamericanos, reforzada por el poderío militar norteamericano deja como saldo a más de dos décadas del 59 un solo caso exitoso: el triunfo del Frente Sandinista de Liberación Nacional, que derroca a Somoza y libera a Nicaragua en 1979. En 1968 comienza a desarrollarse también un nuevo tipo de guerrilla, pero ahora afincado en el medio urbano. Muchos de ellos tendrán un impacto político considerable: en Uruguay surge el Movimiento de Liberación Nacional Tupamaros, dirigido por Raúl Sendic; en Argentina Mario Santucho dirige el PRT-ERP (Partido Revolucionario del Pueblo-Ejército Revolucionario del Pueblo); en Brasil Carlos Marighella funda la Alianza de Liberación Nacional y Carlos Lamarca el Movimiento Revolucionario 8 de octubre; en Chile el Movimiento de Izquierda Revolucionaria es conducido por Miguel Enríquez. El avance de las dictaduras militares a partir de los inicios de los 70 deja como saldo la derrota militar de todos ellos, e incluso, en algunos casos, también políticos.

Un caso especial lo constituyó la relación de Cuba con Chile a partir del triunfo de la Unidad Popular. Salvador Allende, candidato del Partido Socialista y amigo del primer ministro Fidel Castro, es recibido fervorosamente en la isla y éste mantendrá una estadía prolongada en Chile. Se despejaba así una serie de asperezas que habían querido ser explotadas a partir de contraponer la vía chilena al socialismo con la cubana. Durante los veinticinco días de permanencia de Castro en Chile le correspondió al general Augusto Pinochet rendirle honores. Un periodista interroga al dictador chileno: «¿Cómo se sintió en esos momentos?» y la insólita respuesta fue la siguiente: «Me correspondió disponer que se le rindieran los honores de reglamento, con motivo de una ofrenda floral que depositó al pie del monumento al libertador general Bernardo O'Higgins. Bien comprenderá usted que rendirle honores a Fidel Castro no me hacía ninguna gracia. Yo me había hecho la promesa en conciencia de jamás rendir honores a los comunistas. Lo pude evitar en el mes de agosto, cuando nos visitó el ministro de Pesquería de la URSS. A éste lo coloqué entre el ministro de Defensa y yo, con lo cual se le rindieron honores al ministro de Defensa y no al ruso. Ahora había que hacer lo mismo con Fidel Castro, corriendo el riesgo de que alguno de los marxistas advirtiera la maniobra y me creara problemas.» Es lógico suponer que ningún marxista, ni ningún otro ser humano advirtió la maniobra, pues la misma sólo podía formar parte de las fantasías de Pinochet. Una vez más un presidente constitucional elegido por el pueblo era derrocado por un golpe militar.

En el informe presentado por Fidel Castro, en su calidad de primer secretario del Comité Central del PCC al Primer Congreso del PCC en 1975, se retrata la significación que había adquirido la derrota de los Estados Unidos frente a Vietnam.

*La política exterior*

«Se ha repetido que nuestra época se caracteriza por ser el momento histórico del capitalismo al socialismo, período en el cual se incrementan además las luchas por la liberación nacional de los pueblos como parte del proceso de liquidación de los vestigios del colonialismo y de la presencia neocolonial que el imperialismo ha determinado en vastas zonas de la tierra.

En los últimos años, el rasgo más distintivo de ese tránsito ha sido llamado distensión internacional...

Nuestro partido dejó establecida con claridad su interpretación del contenido y los orígenes de la distensión internacional en los momentos en que se produjo la firma de importantes documentos sobre las relaciones entre la URSS y Estados Unidos respecto a materias como el desarme nuclear y la reducción del armamento, durante la visita del secretario general del PCUS, camarada Leonit Ilich Brezhnev, a Estados Unidos en 1973.

Establecimos entonces que la distensión era resultado de un largo camino de lucha en que los principios manejados por Lenin desde la fundación del primer estado socialista, respecto a la posibilidad y conveniencia de la coexistencia pacífica entre estados con distintos regímenes sociales, se habían abierto paso por encima de la resistencia enconada de los elementos más reaccionarios del imperialismo. Ello ha sido consecuencia de las victorias económicas, políticas y militares de la Unión Soviética y del campo socialista, así como de la creciente fortaleza de la URSS y los estados socialistas y el debilitamiento cada vez mayor de los imperialistas, en particular del imperialismo norteamericano, golpeado por la crisis general del capitalismo y por la reciente crisis económica internacional.

No puede dejarse de tener en cuenta el hecho de que en ese proceso de distensión está presente la creciente conciencia de sectores decisivos de la política y de la economía norteamericana, en el sentido de que la coexistencia pacífica que evita una tercera guerra mundial de carácter nuclear es la única posibilidad real de la supervivencia por un período más o menos largo de su propio sistema social. Pero en esa conciencia, así como en la convicción cada día mayor de amplios sectores del pueblo norteamericano respecto a la insensatez de aquellos que en el Pentágono, en el gobierno o en las zonas militares del complejo militar-industrial, pretenden resolver la contradicción histórica socialismo/capitalismo por la vía de la guerra, están presentes las derrotas sucesivas de la política imperialista norteamericana, y la seguridad que de ella han derivado esos sectores en la dirección y en las masas de Estados Unidos de la impotencia del imperialismo para imponerse por la vía militar.

En ese cambio en la correlación de fuerzas tuvo un papel decisivo la estruendosa derrota militar del Pentágono en Indochina, y en particular en el Vietnam heroico y admirable, donde más de medio millón de soldados norteamericanos, equipados con las armas más modernas, tuvieron que retirarse vergonzosamente ante la resistencia primero y el empuje después del pueblo vietnamita, apoyado en la solidaridad de la URSS y demás países socialistas y de sentimiento popular que se levantó en su favor y en contra de la presencia imperialista en todos los países del mundo.»

# Capítulo 17

## ERNESTO CHE GUEVARA

Carta enviada por El Che a su madre desde el lugar de detención con otros expedicionarios del *Granma*. México, 15 de julio de 1956.

«No soy Cristo y filántropo, vieja, soy todo lo contrario de un Cristo, y la filantropía me parece cosa de... por las cosas que creo luchar con todas las armas a mi alcance y trato de dejar tendido al otro, en vez de dejarme clavar en una cruz o en cualquier otro lugar. Con respecto a la huelga de hambre estás totalmente equivocada: dos veces la comenzamos, a la primera soltaron a veintiuno de los veinticuatro detenidos; la segunda anunciaron que soltarían a Fidel Castro, el jefe del movimiento, eso sería mañana; de producirse como lo anunciaron quedaríamos en la cárcel sólo dos personas. No quiero que creas, como insinúa Hilda, que los dos que quedamos somos los sacrificados, somos simplemente los que tienen los papeles en (malas) condiciones. Mis proyectos son los de salir al país más cercano que me dé asilo, cosa difícil dada la fama interamericana que me han colgado, y allí estar listo para cuando mis servicios sean necesarios. Vuelvo a decirles que es fácil que no pueda escribir en un tiempo más o menos largo.

Lo que (verdaderamente) me aterra es tu falta de comprensión de todo esto y tus consejos sobre la moderación, el egoísmo, etc., es decir las cualidades más execrables que puede tener un individuo. No sólo no soy moderado sino que trataré de no serlo nunca y cuando reconozca en mí que la llama sagrada ha dejado lugar a una tímida lucecita votiva, lo menos que pudiera hacer es ponerme a vomitar sobre mi propia mierda... En estos días de cárcel y en los anteriores de entrenamiento, me identifiqué totalmente con los compañeros de causa; me acuerdo de una frase que un día me pareció imbécil o por lo menos extraña, referente a la identificación tan total entre todos los miembros de un cuerpo combatiente, el concepto *yo* había desaparecido totalmente para dar lugar al concepto *nosotros*. Era una moral comunista y naturalmente puede parecer una exageración doctrinaria, pero realmente era (y es) lindo poder sentir esa remoción de nosotros...

Vieja, te besa y te promete su presencia si no hay novedad. Tu hijo, El Che.»

Si bien Ernesto Che Guevara tuvo actuación previa antes de sumarse al grupo expedicionario que se embarcó rumbo a Cuba en 1956 y una década más tarde se había trasladado fuera del suelo de la isla para estimular acciones revolucionarias en otras latitudes, su pensamiento y acción están indisolublemente unidos a lo que fue la experiencia de la Revolución Cubana. El desarrollo de la guerra de guerrillas, la toma del poder y la construcción del

*Guerrera desabrochada, botas manchadas de barro. El ministro sonríe en un descanso durante la jornada de «trabajos voluntarios».*

socialismo en Cuba otorgan al Che un basamento vital que recupera reflexivamente, no sólo para repensar el pasado sino también, y fundamentalmente, como proyección de futuro.

Quijote, romántico, guerrillero heroico, comunista, idealista, comandante, utópico, son algunas de las muchas máscaras a las que ha apelado la memoria colectiva para recortar la figura del Che de su contexto histórico y fijarla como uno de los grandes iconos de la cultura contemporánea. Su imagen está presente en Cuba y en casi todos los rincones del planeta, asociada a la idea de rebeldía, intransigencia, sensibilidad. En los últimos años hemos asistido a una verdadera avalancha de títulos en que se abordan tanto los aspectos biográficos del Che como la reimpresión de su obra editada e inédita. Expresiones artísticas como el cine y el teatro no han estado ausentes de este *revival*. En los ámbitos académicos se han dedicado seminarios y mesas redondas a explorar detalles o aspectos fundamentales ligados a su persona y su rostro aparece de manera inconfundible en rostros y remeras de todos los continentes. Su temprana muerte en suelo boliviano, en 1967, no ha impedido que siga estando vivo como un fantasma que recorre el mundo en una incesante resignificación, pero para estar siempre junto a los oprimidos y explotados.

La trayectoria de Guevara fue sin duda singular y si bien la dimensión mítica es un elemento constitutivo del Che, en tanto «sujeto histórico», en las líneas que siguen nos proponemos repasar algunos de los momentos que han jalonado su vida y que permiten ser reapropiados en un ejercicio heurístico que busca brindar una mirada plural y compleja de aquel proceso histórico nominado como Revolución Cubana y que se encuentra muy lejos de poder ser reducido al relato de una historia oficial.

El 14 de junio de 1928, en la ciudad de Rosario, provincia de Santa Fe, República Argentina, nace Ernesto Guevara, según reza en la correspondiente Acta de la Partida de Nacimiento. Sus padres, Ernesto Guevara Lynch y Celia de la Serna, permanecen sólo algunos meses en Rosario y toda la familia se traslada a la provincia de Misiones. A los dos años de edad una afección pulmonar, asma, lleva a que la familia completa (los hermanos del Che eran: Roberto, Celia, Ana María y Juan Martín) se instale en Alta Gracia, Córdoba. El lugar rodeado de montañas es elegido por el carácter benigno del aire serrano.

En la adolescencia comienza una formación ideológica que se entronca con el liberalismo de izquierda del activo bando republicano español en el país y las lecturas que le provee la Biblioteca de Deodoro Roca, el redactor del *Manifiesto Liminar* de la Reforma Universitaria de 1918. Su padre, de extracción de clase media, es un declarado antiperonista y participa activamente en el derrocamiento del general Perón en 1955. Por su parte, Ernesto, debido al asma, es eximido de realizar el servicio militar obligatorio y se traslada a Buenos Aires para estudiar Medicina.

Ernesto se interesa por la arqueología. A los diecinueve años adapta un motor a su bicicleta y lo utiliza como medio para recorrer la República Argentina. La prensa le otorga una mención en sus páginas por el espíritu de aventura que animó la iniciativa. En 1951, siendo aún estudiante de Medicina, junto con su amigo Alberto Granados, salen a recorrer América Latina, esta vez en motocicleta. De la Argentina pasan a Chile, donde la motocicleta queda inutilizada y la travesía la continúan por distintos medios. Ernesto Guevara finalmente recala en Miami y regresa en avión a Buenos Aires.

En 1953, ya graduado, inicia un nuevo viaje con rumbo a Venezuela, donde le espera ya instalado su antiguo compañero de viaje. En este andar trashumante Ernesto Guevara se convierte en testigo y portador de experiencias fundamentales que están sacudiendo las entrañas mismas de Nuestra América.

Arriba a Bolivia a poco de haber estallado la Revolución que el 9 de abril de 1952 encabeza el Movimiento Nacionalista Revolucionario y que para su triunfo contó con la actuación decisiva del movimiento obrero minero. El estallido de la revolución tiene que ver con el hecho de que el MNR (un movimiento de carácter nacionalista acusado por el Departamento de Estado de «filofascista» en tiempo de la Segunda Guerra Mundial y de «social-fascista» por los comunistas bolivianos) se había presentado en elecciones cuyos resultados fueron manipulados y tergiversados para no otorgar el triunfo al MNR. Se pone en marcha un levantamiento en reclamo del respeto de la voluntad de los electores expresada en las urnas. Pero, como ya había sucedido en México en 1910, la reforma política se amalgama con la demanda de cambios en el orden de lo social. En ese momento los obreros mineros pasan a jugar un rol protagonista. Son los verdaderos artífices de la derrota y destrucción del ejército de Bolivia. Para ello se valen de los cartuchos de dinamita, que eran sus herramientas de trabajo, ahora aplicados a la lucha urbana. El doctor Víctor Paz Estenssoro retorna de su exilio en la Argentina y asume la presidencia. En las calles las milicias mineras han garantizado el triunfo y comienza una etapa en la que el gobierno se integra con el MNR, por una parte, y los ministros obreros que aporta la Central Obrera Boliviana, por la otra.

¿Cuál es la percepción que tiene Ernesto Guevara respecto de lo que pasa en Bolivia? Sus impresiones quedan plasmadas en una carta que el 3 de septiembre le envía a su amiga Tita Infante. En primer lugar subraya que «Bolivia es un país que ha dado un ejemplo realmente importante a América». Allí se libró una verdadera batalla, «las revoluciones —agrega— no se hacen como en Buenos Aires»; es que el saldo de víctimas, que nadie conoce con exactitud, es de alrededor de dos mil o tres mil muertos. No deja incluso de transmitirle el horror que el propio escenario presenta: «[vimos] hasta restos de un hombre muerto en la pasada revolución y encontrado recién en una cornisa donde había volado su tronco, ya que explotaron los cartuchos de dinamita que llevaba a la cintura».

El gobierno no tendría posibilidades de ser derrocado porque «está apoyado por el pueblo armado». Su debilidad proviene de las propias líneas internas y la evolución que éstas puedan sufrir. Caracteriza, por ello, al MNR como un conglomerado en el que se manifiestan tres corrientes: la derecha con Siles Suazo; el centro con Paz Estensoro y la izquierda con Juan Lechín, «que es la cabeza visible de un movimiento de reivindicaciones serio, pero que personalmente es un advenedizo mujeriego y parrandero». Evalúa que será este último quien tal vez retenga en el futuro el poder, ya que cuenta con la ayuda de los mineros armados, pero la resistencia de sus colegas puede incrementarse a partir de la reorganización del ejército.

Bolivia queda atrás y su periplo se retoma rumbo al Norte. En 1954 permanece durante dos semanas en San José de Costa Rica y allí discute con algunos de los miembros destacados de la Legión del Caribe, un núcleo político que se proponía la democratización de los países caribeños asolados por dictaduras. Conversa con Rómulo Betancourt, Raúl Leoni y Juan Bosch. Está de acuerdo con éstos en el objetivo antidictatorial pero no comparte su tibio, cuando no ausente, antiimperialismo. Siente hablar por primera vez del ataque al cuartel de Moncada y de la existencia de una oposición activa a la dictadura de Fulgencio Batista.

La principal preocupación de Guevara continúa siendo la medicina social y la arqueología; en enero de 1954 arriba a Guatemala, justamente con la intención de proseguir sus estudios sobre las culturas precolombinas. Allí conoce a la exiliada peruana Hilda Gadea. En el gobierno está Jacobo Arbenz, que había sido elegido presidente en 1950. Lleva adelante una batalla contra las grandes compañías de capital norteamericano y los grandes latifundistas guatemaltecos, que apelan al uso de una fuerza de trabajo en condiciones que son descritas por muchos contemporáneos como de «servidumbre» o «semiesclavitud». Una de las medidas que encara Arbenz es promover una ley de protección de los trabajadores rurales; incluso hay un avance de cierto reparto de tierras, sobre la base de una ley antiesclavista y antifeudal (éstos son los términos que aparecen en el texto legal justamente).

La ya citada United Fruit Company es la principal empresa bananera del país y se ha instalado desde principios de siglo en Guatemala. Se trata de una sociedad anónima cuyas primeras iniciativas estuvieron vinculadas al sector de correos, y a partir del tráfico y del comercio entre México y Guatemala se había ido diversificando hasta consolidarse en una compañía que también funciona en Cuba y cuyo principal renglón productivo lo constituyen los frutos tropicales y el azúcar. Será esta compañía una de las principales opositoras a la legislación que se ha aprobado y que busca una moderada y gradual transformación en el mundo rural.

Los Estados Unidos también lanzan una fuerte ofensiva para proteger a la compañía bananera y el derecho de propiedad privada que entienden vulnerado. Uno de los argumentos que se menciona es que Guatemala constituye una amenaza para la seguridad del continente, su gobierno sería la cabeza de playa para que la Unión Soviética se haga con el canal de Panamá. Sobre la base de este argumento, se promueve la invasión de Castillos Armas para derrocar al gobierno de Arbenz.

El 17 de junio Castillo Armas inicia la invasión. Guevara impulsa una defensa activa del gobierno frente a la invasión; para ello colabora en la defensa civil contra los bombardeos, organiza grupos y transporta armas. En ese marco se encuentra con que Jacobo Arbenz no ha logrado que el grueso del ejército lo acompañe en la resistencia. El embajador argentino en Guatemala, Sánchez Toranzo, lo asila en la embajada. Jacobo Arbenz había denunciado valientemente ante la opinión pública internacional que, desde que el movimiento revolucionario, iniciado en octubre de 1944, se había propuesto garantizar un régimen democrático, así como promover el desarrollo nacional mediante la reforma agraria, las fuerzas reaccionarias se dispusieron a obrar para impedir el progreso proyectado y derribar al gobierno. El tono del documento había despertado muchas expectativas en el Che, la actitud de no afrontar con las armas en la mano la invasión le desilusionó. Entonces está claro que Guatemala está agotado como proceso con posibilidades de revertir la situación y le garantizan un salvoconducto para que pueda cruzar la frontera e ir a México.

John Foster Dulles, el secretario de Estado norteamericano, consumada la invasión, se dirige por medio de la radio y la televisión al pueblo norteamericano. Para este funcionario Guatemala es el escenario que demuestra «el maligno propósito del Kremlin de destruir el sistema interamericano». Recuerda la resolución aprobada en marzo de ese año por la OEA: «la dominación o el control de las instituciones políticas de cualquier estado americano por el movimiento comunista internacional constituía una amenaza para la soberanía e independencia política de los estados americanos, poniendo en peligro la paz de América». J. F. Dulles recuerda también que el único voto negativo contra esa resolución había sido el de Guatemala. La situación en Guatemala se había hecho tan peligrosa que los Estados Unidos no podían ignorarla. La invasión y el derrocamiento de un presidente constitucional elegido por el voto popular quedaba justificada.

En una carta a su madre, fechada el 4 de julio de 1954, el Che le transmite su impresión de lo ocurrido: «Todo ha pasado como un sueño lindo que uno no se empeña en seguir despierto», y agrega que la «traición sigue siendo patrimonio del ejército», y propone el aforismo: «la liquidación del ejército como el verdadero principio de la democracia».

Estas experiencias le hacen sacar tres conclusiones centrales: una, que cualquier intento de transformación, por muy tímido que sea, cuenta con la resistencia y la oposición de parte del sistema, esto es los Estados Unidos como garante en última instancia; pero no es un problema de nacionalismo sino de lógica de funcionamiento del sistema, en donde hay una relación de fuerza que aparece como garantía de los límites hasta los cuales puede avanzar una transformación. Entonces el primer punto es que ante cualquier intento de transformación va a haber una respuesta por parte del sistema. Segunda conclusión: si la revolución no avanza el tiempo empieza a jugar en contra, lo que le da elementos a la oposición, haciendo mucho más dificultoso entonces poder avanzar con las reformas propuestas. Tercera conclusión: si esas transformaciones no van al fondo de la cuestión, tarde o temprano se vuelve a recomponer el régimen y en ese contragolpe más tarde o más temprano se termina derrotado. Tiene presente lo que está pasando en Bolivia como ejemplo, donde la situación de doble poder y de indefinición mantiene congelada la posibilidad de avanzar hasta las últimas consecuencias del cambio, y también el caso de Guatemala, donde se intentó la reforma agraria y la respuesta fue la invasión, acusando a Jacobo Arbenz de ser un gobierno comunista.

Ya en México, en 1955 sus planes inmediatos son los de permanecer seis meses; prosigue su trabajo científico con entusiasmo y prepara un libro titulado: «La función del médico en América Latina». Pronto se une al grupo de Fidel Castro que entrena el coronel Bayo y va a dar a la cárcel con otros veintitrés compañeros. Le relata a su madre el espíritu de camaradería «comunista» que se ha formado en el grupo y, descreyendo de la moderación, le recuerda que para «toda obra grande se necesita pasión y para la revolución se necesita pasión y audacia en grandes dosis, cosa que tenemos como conjunto humano».

En ese año se casa con Hilda Gadea y en febrero de 1956 nace su hija. Su decisión de participar con los 82 hombres que se proponen embarcarse para liberar a Cuba es inconmovible. Fidel Castro a poco de partir le pregunta al coronel Bayo por qué calificaba a Ernesto Guevara como el número uno del grupo. «Porque ha sido el mejor alumno», respondió el veterano militar español. Fidel contesta inmediatamente: «La misma nota la hubiese dado yo.»

Instalado en la Sierra Maestra, es ascendido en 1957 a comandante. En 1958, junto con Camilo Cienfuegos, tienen la responsabilidad de avanzar hasta Santa Clara como una muestra elocuente de que el Ejército Rebelde inicia un movimiento de contraofensiva.

A principios de enero de 1959 entra con sus compañeros de armas en la ciudad de La Habana. El plano personal, se separa de Hilda Gadea y contrae matrimonio con Aleida March, militante también del Movimiento 26 de Julio.

A partir del triunfo de la Revolución, el Che desempeña un sinnúmero de tareas como miembro del nuevo Estado. Viaja como representante de la Revolución a distintos países del Tercer Mundo. En 1960 visita la URSS, China Popular, Corea del Norte, Alemania Oriental y Hungría. En 1961 es nombrado ministro de Industria, participa en el campo de batalla para derrotar la invasión de playa Girón e integra la delegación cubana al Consejo Económico y Social de la OEA, en Punta del Este. En 1962 integra la Dirección Nacional de las Organizaciones Revolucionarias Integradas. En 1963 participa del seminario sobre planificación que se realiza en Argelia. Al año siguiente lo encontramos pronunciando un discurso en la Primera Conferencia de las Naciones Unidas sobre Comercio y Desarrollo. En 1965 apoya las acciones guerrilleras en el Congo y, tras regresar a Cuba en 1966, viaja a Bolivia para instalar la guerrilla en Ñancahuazú. El 8 de octubre de 1967 es asesinado en La Higuera (Bolivia).

Más allá de las acciones concretas y tareas que realiza el Che, desde que parte en el *Granma* hasta que abandona la isla para retornar a Bolivia, lo que constituye una experiencia muy rica y trascendente, es interesante interrogarse acerca de cuáles son los aspectos novedosos que se introducen en la nueva coyuntura. A partir de la teorización que va elaborando Guevara sobre esta cuestión, podemos identificar algunos tópicos donde su aportación conlleva un sello de singularidad que tiene que ver con la sociología de la revolución, el problema del Hombre Nuevo y las formas de transición al socialismo.

El primer punto a tener en cuenta es que el triunfo de la Revolución en Cuba viene a poner en crisis la teoría de la revolución por etapas y la vía pacífica que los partidos comunistas de América Latina reivindicaban para sí desde la adopción de la política de los frentes populares por la Internacional Comunista en 1935. Si nos remitimos al ejemplo de Cuba, la línea que encarna el Partido Socialista Popular en el período anterior al viraje que se produce en 1958 es representativo de esta situación.

La III Internacional, que se funda en 1919, tras la Revolución de Octubre se plantea como objetivo llevar adelante la revolución mundial y de acuerdo con uno de los primeros congresos las agrupaciones que se adherían a ella debían adoptar la nominación de Partido Comunista. El criterio había sido respetado por Mella en y el resto del núcleo fundador, en 1925. Se puede decir que, con la sola excepción de José Carlos Mariátegui, que bautiza la formación política que lidera en el Perú con el nombre de Partido Socialista, en el resto de América Latina se sigue el criterio fijado en Moscú. Cuando en 1943 Stalin disuelve la III Internacional, como parte de los acuerdos con las potencias capitalistas aliadas que se enfrentan el nazismo, en ningún país del mundo se ha producido la revolución de acuerdo con las expectativas y pautas fijadas por el Komintern.

Entre 1944 y 1945 la colaboración entre la URSS y los Estados Unidos en la lucha antifascista lleva a Earl Browder, secretario general del Partido Comunista en los Estados Unidos, a sacar la conclusión de que una nueva era de amistad y en particular en América Latina. Como parte del nuevo clima, y también por cuestiones de legalidad, varios partidos cambian de nombre: el Partido Socialista

Popular viene a sustituir al Partido Comunista de Cuba; pero también se reafirma una línea programática de colaboración de clases que venía esbozándose desde la conformación de los frentes populares.

En el caso de Cuba, en 1939, un documento oficial del partido publicado en *La Correspondencia Internacional* oponía el frente democrático al fascismo. Textualmente se decía que «la política exterior del gobierno cubano, dirigido por el coronel Batista, jefe constitucional del ejército, adquiere un carácter antifascista cada vez más marcado». Batista aparece entonces como «la salvaguardia del bienestar popular» y defensor de «las instituciones democráticas». Los comunistas cubanos invitaban entonces a abandonar las «fórmulas caducas» y defendían la tesis del carácter progresista de Batista. La consigna, frente a lo que consideraban las nuevas circunstancias, era: «Con Batista, contra la reacción»; las amplias masas populares tenían que brindar un apoyo abierto a éste. Sepultado parecía quedar el lenguaje empleado por Julio Antonio Mella, algo más de una década anterior, donde el énfasis estaba puesto en «la guerra de clases». Taxativamente Mella escribía en 1926: «Ya no hay patria. Sólo hay clases enemigas.» Para este fundador del Partido Comunista de Cuba la guerra ha estallado «brutal, violenta, sanguinaria».

No se puede comparar el marco represivo impuesto por Gerardo Machado y la atmósfera del *batistato*, que convoca a una Asamblea Constituyente amplia y sin proscripciones. Pero no puede explicarse, ni justificarse, las diferencias de líneas por uno u otro contexto. En los orígenes del Partido Comunista de Cuba se reivindica la guerra de clases y la revolución, en los años 40 el PSP brega por un entendimiento de clases y por la vía pacífica al socialismo. Como ya hemos planteado, la Revolución contó con una incorporación tardía del PSP.

Lo que empieza a estar nuevamente en debate a partir de 1959 es la idea, de raíz estalinista, de la revolución por etapas y del bloque de las cuatro clases: proletariado, campesinado, pequeña burguesía y burguesía nacional. Éste sería el encargado de realizar la etapa «nacional-democrática» o «antiimperialista y feudal» que lleva como supuesto que en un país semifeudal y atrasado las condiciones no están «maduras» para una revolución socialista. Este esquema, que había sido planteado por Stalin para China, fue luego generalizado en los países coloniales y semicoloniales. A la etapa democrático burguesa debía suceder la revolución socialista, pero ésta se situaba en un futuro tan lejano como incierto. La Revolución Cubana viene a sacudir ese dogma sedimentado en la orientación política de la mayoría de los partidos comunistas de América Latina.

No es casual que la transformación del carácter democrático radical en socialista de la Revolución en Cuba replantee cuál es el papel de la burguesía nacional en la revolución de los 30, en el frente revolucionario. En la década de los 30 los frentes populares en América Latina buscaron alianzas con fuerzas burguesas caracterizadas como «liberales», «nacional» o «no-fascista», a la luz de la experiencia cubana al avance de las medidas de transformación social; la burguesía, aliada de los grandes hacendados por un lado y del imperialismo norteamericano por el otro, vira hacia posiciones decididamente contrarrevolucionarias. La burguesía tiene contradicciones secundarias con el imperialismo, pero asume que su enemigo principal son las fuerzas populares, los obreros y los campesinos. La superación del subdesarrollo, del problema agrario, de la miseria de las grandes urbes, etc., requiere la adopción de medidas revolucionarias, que no está en condiciones de llevar adelante una clase, la burguesía, por su carácter no revolucionario y su vínculo con el imperialismo. Fidel Castro decía en diciembre de 1961: «La revolución antiimperialista y socialista sólo tenía que ser una, una sola revolución, porque no hay más que una revolución. Ésa es la gran verdad dialéctica de la humanidad: el imperialismo, y frente al imperialismo el socialismo». Como acotará más adelante el Che, en el mensaje a la tricontinental en 1967: «no hay más cambios que hacer; o revolución socialista o caricatura de revolución».

Pero este debate va atado al punto de quién es el sujeto de la revolución para Guevara. Las condiciones que se dan en Cuba, considera el Che, se reproducen en casi toda América Latina, es decir, se instala el campesinado con un papel muy importante; por tanto, hay que promover el desarrollo de movimientos basados en las fuerzas campesinas, como forma de promover el cambio revolucionario en todos estos países. Se coloca como objetivo estratégico la lucha en el campo y no en la ciudad, pues supone que para las fuerzas represivas es más sencillo poder atacar, neutralizar y destruir un movimiento que tenga por base las acciones urbanas. Entonces, aunque no se refiera a ningún caso particular, en general está planteando que el principal sujeto de la revolución es el campesinado, que en todos los países, al igual que en Cuba, hay miseria, y entonces lo que hace falta es, sobre condiciones estructurales como son la opresión, la miseria y estos millones de campesinos como factor importante para la transformación, utilizar a la guerrilla como elemento catalizador capaz de despertar en el pueblo estas fuerzas adormecidas que enfrenten a los regímenes establecidos. Un cambio revolucionario que ya no puede tener la expectativa de contar con las burguesías nacionales como sus aliados. Por tanto, ya no es posible plantearse una revolución de tipo democrático-burguesa sino

*Monumento a la Revolución Cubana.*

que la única revolución auténtica que se puede dar en América Latina es la revolución socialista, y en función de eso está planteado que el núcleo originario de la guerrilla rural se tiene que transformar en el núcleo dirigente, contradiciendo todo aquello que habíamos visto de la concepción del partido teniendo al proletariado urbano como su forma al menos declamativamente, como su centro de gravedad.

La Revolución Socialista no es posible sin la destrucción del aparato militar del Estado, y para eso es necesaria la lucha armada. Frente a las contradicciones sociales, ni la burguesía, ni el ejército habrán de permanecer neutrales a su curso. La lucha armada se apropia de la teoría de la guerra de guerrillas para instalar un foco rural capaz de ir generando las condiciones necesarias que desemboquen en la destrucción del ejército enemigo. Frente a esta definición, la reacción de los partidos comunistas tampoco es homogénea; así, el Partido Comunista de Uruguay busca una aproximación, un entendimiento, una interacción con el proceso que se está desarrollando en Cuba, y por otro lado en el de Brasil se presenta una fuerte crítica hacia las tesis guevaristas. Por otra parte, grupos y corrientes que vienen del trotskismo, se pliegan y van a promover movimientos que empalman con estas posiciones.

Producto de la influencia de la Revolución Cubana en Brasil es que Carlos Fonseca va a replantear su estrategia, va a renunciar al Partido Comunista y va a promover incluso al estilo del asalto al cuartel de Moncada un levantamiento análogo que va a terminar derrotado. Sufrió un juicio donde él, de la misma manera que Fidel Castro, plantea que «la historia me absolverá»; impugna a los que le están acusando por su falta de autoridad moral y política, pues forman parte de la dictadura, de la oligarquía y del viejo régimen, que finalmente las fuerzas del pueblo están llamadas a barrer. Nicaragua es en el único caso donde avanza un proceso que va a terminar triunfando en 1979, adhiriéndose en su origen a la concepción de la Revolución Cubana.

Uno de los principales problemas que se plantean entonces es cómo establecer el vínculo entre la instauración de los movimientos guerrilleros con la relación del movimiento de masas en general y con la clase obrera en particular. Recordemos que en Cuba durante la guerra civil se plantearon tres huelgas generales y que el Che tiene muy presente. Una primera, que se había dado exactamente en agosto de 1957, había tenido como epicentro la ciudad de Santiago de Cuba, en donde el asesinato de Frank País produjo una reacción de forma espontánea por la indignación de la represión permanente del gobierno de Batista, una situación que ya no se soportaba más; la muerte del dirigente había actuado como el detonante de la huelga espontánea. La segunda huelga que él había analizado era la del 9 de abril de 1958, una huelga que se había mantenido en secreto, tan en secreto, plantean algunos con ironía, que ni los propios obreros se habían enterado que tenían que parar ese día; entonces la huelga general fracasa porque no se puede ejecutar con una concepción cuasi militarista. Y el tercer caso de huelga general es el de enero de l959 como forma de reforzar todo este movimiento de insurrección general que estaba planteado en el campo y en las ciudades y que les cierra el camino al intento de garantizar un continuismo del régimen con piedras pero sin Batista.

El Che no niega que el movimiento obrero juega un papel importante, pero fundamentalmente en la última etapa, una vez establecido el núcleo de la guerrilla rural como el ejército rebelde alternativo, como alternativa al ejército oficial. Esta experiencia que interpreta en el marco de la realidad cubana, considera que es extensible al resto de América. En 1967 el Che pone en práctica lo que sería esta nueva sistematización de cómo encarar el cambio sobre la base de la nueva estrategia en Bolivia, y en octubre de ese año va a ser apresado y asesinado, y todo el intento del Ejército de Liberación Nacional en Bolivia termina en un fracaso.

Pero el aporte más importante del Che tiene que ver con su concepción de la construcción del socialismo y el hombre nuevo. Mientras en los años 60 en Cuba se discute cómo construir el socialismo, en el resto de América Latina las ciencias económicas discutían sobre la base o las teorías metropolitanas del desarrollo económico o sobre la base de las teorías de la CEPAL; esto implica un sacudimiento muy importante de los términos en que se viene debatiendo el

Régis Debray fue uno de los principales teóricos del foquismo y fue detenido en Bolivia en 1967. Poco después el Che también será capturado y asesinado. En 1966 había dado a conocer su famoso texto: *¿Revolución en la Revolución?*

«La Revolución Cubana no puede repetirse ya en la América Latina.»

«Esta frase, en boca de militantes latinoamericanos, se ha convertido en un cliché peligroso. Justa en ciertos aspectos, ha traído olvidos sangrientos.

A fuerza de decir que la Revolución Cubana no tendrá ya equivalente en el continente, por el cambio que ha operado en la relación de fuerzas, hemos llegado a ignorar tranquilamente aquello que no puede ya repetirse. De la Revolución Cubana se ignora hasta el abecé.

Primero, hemos reducido a Cuba a una leyenda dorada, la de los doce hombres que desembarcan y que se multiplican no se sabe cómo en un abrir y cerrar de ojos; después decimos que la realidad no tiene ya nada que ver con ese audaz cuento de hadas. Ese juego de manos ha dejado escapar sencillamente lo esencial, la realidad compleja del proceso insurreccional cubano.

¡Cuántas vueltas inútiles, cuántas experiencias infortunadas, cuánto tiempo perdido han resultado de ello para los movimientos revolucionarios del presente! Nosotros mismos hemos tratado de mostrar en estudios anteriores la amplitud de las transformaciones provocadas por Cuba en el continente. Pero hay que dar fe del movimiento inverso que comienza un poco por doquier entre los combatientes y los militantes; vuelven con curiosidad a la experiencia cubana para advertir "el como" más que el brillo de la superficie, los "detalles" políticos y militares, los mecanismo internos. ¿Y por qué? Porque al cabo de años de sacrificios y a veces de derroche, descubren verdades de orden técnico, táctico y aun estratégico que la lucha revolucionaria cubana había puesto en acción y practicado desde sus comienzos, a veces sin darse cuenta de ello. Descubren que cierta manera de aplaudir ruidosamente la leyenda de la insurrección fidelista ha podido encubrir, en sus propias filas, el desdén o la negativa a aprender de ella y discernir sus lecciones fundamentales.»

problema sobre el destino económico de América Latina y refuerza el impulso de toda la corriente de lo que se va a llamar la Teoría de la Dependencia, porque el punto no es sólo la discusión de cómo construir el socialismo en Cuba, cuál es la estrategia de la revolución, sino que para poder resolver esos dos problemas también hay que tener un diagnóstico respecto de qué pasa con las economías de los países latinoamericanos. Si el subdesarrollo de América Latina es como lo planteaba la teoría de Rostow, una etapa por la que hay que pasar porque inexorablemente se va a llegar a la etapa del despegue y a ser países industrializados, o si por el contrario el imperialismo juega un papel donde, según los autores de la Teoría de la Dependencia, se genera toda una serie de obstáculos para el desarrollo.

Pero romper con el imperialismo y la dependencia, para el Che, implica la construcción del socialismo. Éste no puede ser concebido en los términos estrechos de la economía, porque la misión de la Revolución es liberar al hombre de su enajenación y convertirlo en un actor consciente de la historia. En su mensaje a la Tricontinental concluía: «Podrá ser o no el momento actual el indicado para iniciar la lucha, pero no podemos hacernos ninguna ilusión, ni tenemos derecho a ello, de lograr la libertad sin combatir.»

Este problema, entonces, tiene que ver con el texto que ya hemos mencionado del Che y que resume este debate al comentar si Cuba es un caso excepcional o es la vanguardia histórica de un proceso que se va a reproducir en otros lugares. Es decir, lo que obliga el triunfo de la Revolución Cubana es a volver a discutir el problema de la estrategia revolucionaria y a discutirlo en una escala que era aquella escala en que lo había discutido la Internacional Comunista en su momento, que es la escala mundial.

# Capítulo 18

## CUBA Y EL FIN DE LA «GUERRA FRIA»

En América Latina la «guerra fría» se instala bastante antes que el triunfo de la Revolución Cubana. En efecto, una vez finalizada la Segunda Guerra Mundial comienzan a profundizarse las contradicciones entre las potencias anglosajonas y la Unión Soviética. Lo que había constituido la gran alianza contra el nazismo muestra una fisura creciente. En 1946 el primer ministro inglés, Winston Churchill, comienza a hablar de la «cortina de hierro». Esta situación se va a agravar hasta generar una estructura bipolar en el funcionamiento del sistema internacional, de la que América Latina no podrá sustraerse.

En 1947 Estados Unidos toma la iniciativa en su «zona de influencia hemisférica» y promueve la firma del Tratado Interamericano de Asistencia Recíproca (TIAR). El TIAR se origina en la Conferencia para el Mantenimiento de la Paz y la Seguridad Continental que se realiza en Río de Janeiro y establece que, si un país de América es atacado por una potencia de fuera del continente americano, el resto debe responder solidariamente en su defensa. En 1948, se reúne la IX Conferencia Interamericana en Bogotá y crea la Organización de Estados Americanos como un complemento de aquella idea de la necesidad de la defensa hemisférica. La política de confrontación Este/Oeste se hace más marcada y el auge que habían ganado diversas fuerzas populares en torno a programas de mayor autonomía nacional, en América Latina, se verá seriamente comprometido. En 1948 Estados Unidos incrementa sus presiones «anticomunistas» y se inclina por la aplicación de políticas represivas. En el año 1954, trece de una veintena de estados latinoamericanos se hallaban bajo dictaduras militares o bajo gobiernos autoritarios no democráticos.

Si bien tanto el TIAR como la OEA se declaran respetuosos de principios jurídicos esenciales, como la no intervención en los asuntos internos de otro Estado, la igualdad jurídica entre los estados miembros, el arreglo pacífico de las controversias y la defensa colectiva frente a la agresión externa, en no pocas oportunidades da paso a una práctica que implica una violación de hecho a uno o varios de ellos. En 1951, en pleno desarrollo de la guerra de Corea, Estados Unidos convoca la IV Reunión de Cancilleres Americanos, que aprueba una recomendación para que cada país adopte medidas que permitan prevenir las «actividades subversivas del comunismo internacional» en el continente. Esta actitud del gobierno norteamericano implica una luz verde para la represión de los movimientos o convulsiones de base popular que sean tildados como potenciales elementos que bregan por un nuevo «alineamiento» con el mundo comunista. Incluso en la OEA se llega a aprobar en 1954, con sólo el voto opositor de Guatemala, una resolución por la que «la dominación o el control de las instituciones políticas de cualquier Estado americano por el movimiento comunista internacional» resulta equiparable a un ataque externo. La soberanía de los estados será respetada, pero, claro está, siempre y cuando éstos no se adscriban a la ideología comunista.

El apoyo norteamericano a las dictaduras reaccionarias y su andamiaje jurídico-político-militar representado en el TIAR y la OEA no resulta omnipotente y, como vimos, en 1952 triunfa en Bolivia una revolución que adoptará medidas radicalizadas, como la reforma agraria y la nacionalización de la minería; y su gobierno contará con varios ministros que responden a la izquierdista Central Obrera Boliviana. Otro tanto sucede en 1959 en Cuba.

La Doctrina Johnson, con su puesta en práctica a través del desembarco de los «marines» en 1965 en Santo Domingo, sepultaba definitivamente la política reformista intentada a través de la Alianza para el Progreso de Kennedy y daba paso al uso abierto y brutal de la fuerza. Sin embargo, la crisis mundial capitalista de 1973-1975 y la capitulación, ese último año, de Estados Unidos frente a Vietnam, debilitó a ésta como primera potencia mundial. Pero la URSS también padeció reveses que no le permitieron capitalizar aquella relativa debilidad de su principal contendiente.

En el período que se abre en 1975 pueden establecerse distintos cortes en función de delimitar problemas y desafíos que de una manera muy concreta tuvo que afrontar la sociedad cubana. Una nota dominante será entonces, hasta la segunda mitad de los 80, su claro alineamiento con la Unión Soviética.

Desde el punto de vista del sistema político que se diseña en aquel año, la base la da el modelo soviético. En él se conjuga un conjunto de instituciones, grupos sociales y organizaciones de masas con instancias estatales. Para ello se reestructura el Estado, distinguiendo los órganos representativos de las administraciones estatales que le deben estar subordinadas. El sistema en su totalidad está dirigido por el Partido Comunista de Cuba, el único con existencia legal. La juridicidad se ve reforzada gracias a la aprobación del texto constitucional de 1976, reformado con posterioridad en 1992. El país se define como un Estado socialista de trabajadores y se organiza como una república unitaria y democrática. La Asamblea Nacional del Poder Popular se constituye en el único órgano con facultades legislativas, incluso para que éstas adquieran un rango constitucional. Se trata de un parlamento unicameral que se integra con 601 diputados por medio de voto universal, directo y secreto; la duración del mandato es de cinco años y la Asamblea Nacional debe reunirse regularmente dos veces al año. A ella le cabe la elección de los miembros del Consejo de Estado.

El Consejo de Estado está integrado por un presidente que asume el rol de jefe de Estado, un primer vicepresidente y otros cinco vicepresidentes. El Consejo de Ministros es el máximo órgano ejecutivo y administrativo. El Poder Judicial lo ejerce en el ámbito nacional el Tribunal Supremo Popular y, en las provincias y municipios, los tribunales correspondientes. La nueva Constitución Nacional incrementa de seis a catorce las provincias.

En materia económica también se reproducía el modelo del socialismo soviético. En política interna se consolida una ideología de estado sobre la base del marxismo-leninismo, tal como se entiende en la URSS. La propaganda se centra en los logros de la Revolución y los éxitos del campo socialista, pero se mantiene al mismo tiempo un férreo control sobre la información. Los medios de comunicación están sometidos a la censura.

En el ámbito diplomático se notan significativos avances. Es en ese año cuando una reunión de la Organización de Estados Americanos en San José de Costa Rica resuelve dejar en libertad de acción a los países miembros frente al embargo y otras sanciones que en 1964 esa organización había impuesto a Cuba. También hay un mejoramiento en las relaciones con Estados Unidos y ambos países abren delegaciones en las capitales respectivas. Pero los mayores esfuerzos en el exterior de Cuba estaban absorbidos por lo que sucedía en África.

Desde mediados de la década de los 60 numerosos asesores militares cubanos habían arribado principalmente a Angola y Etiopía. Una década más tarde estas fuerzas de combate entran en plena acción en el continente, respaldando al gobierno marxista de Angola; otro tanto sucede con Etiopía, que resultó vencedora en su guerra contra Somalia.

Al relanzamiento de la carrera armamentista estimulada por la decisión del premier soviético Leonid Breznev de intervenir militarmente Afganistán en 1979, siguió una coyuntura mundial distinta a partir de 1985. La nueva política reformista y pacifista de Mijail Gorbachov llevó a los países regidos por partidos comunistas a desarrollar un programa de apertura, desburocratización y descentralización de las decisiones.

Desde octubre de 1989 un nuevo viraje se abre en el panorama mundial. Los pueblos de Europa del Este se sublevan contra el dominio burocrático ejercido sobre ellos en nombre del proletariado. Estas energías liberadas destrozan el aparato militar burocrático, pero no reorientan el proceso en dirección a un socialismo democrático y renovado. El neoliberalismo económico y el parlamentarismo occidental se convierten en un nuevo credo, al tiempo que la ola de nacionalismo xenófobo reaparece con inusitada fuerza. Se puede decir que tras la caída del Muro de Berlín el campo del "socialismo real" reorienta sus expectativas hacia un capitalismo que desean imaginar como salvador.

El debilitamiento primero y la desintegración después de la URSS disminuyeron significativamente los controles de Moscú sobre su zona de influencia. Por el contrario, los Estados Unidos buscaron consolidar sus posiciones hacia el «patio trasero». Se mantuvo el cerco y el hostigamiento hacia Nicaragua (hasta 1990) y fundamentalmente Cuba. En esta coyuntura, el Pentágono desencadena la invasión a Panamá, pero la opinión pública está pendiente de lo que sucede en Rumania, aunque las víctimas fatales serán cuarenta veces superiores en Panamá que en Timisoara.

El Frente Martí de Liberación Nacional en El Salvador se estanca y debe colocarse a la defensiva tras el triunfo de Violeta Chamorro en Nicaragua. En la pequeña isla de Granada, Fidel Castro encuentra un aliado en Maurice Bishop. Estados Unidos considera que este país de unos pocos cientos de efectivos militares constituye una amenaza para su seguridad y decide invadirlo.

Cuba vuelve a quedar aislada y destacados periodistas norteamericanos propalan el discurso de que Castro está no sólo aislado sino también viejo; por tanto, sólo hay que esperar para que Cuba retorne al seno de la civilización capitalista, occidental y cristiana. En 1990 es aprobada también por el Senado de los Estados Unidos una ley que prohíbe las transacciones entre las empresas norteamericanas y Cuba; se refuerza pues el bloqueo económico.

Toda la economía cubana fue planificada a largo plazo en base al intercambio esperado con el campo socialista. Recordemos que Castro apoyó la intervención de los tanques en Checoslovaquia y el golpe de Estado contra el ascenso de los sindicatos de solidaridad en Polonia. La vulnerabilidad económica se presentó de manera dramática cuando las entregas de petróleo por parte de

Rusia comenzaron a disminuir. En 1990 el pan pasa a estar racionado.

En términos militares también la situación adquiere ribetes de dramática incertidumbre: el viejo equilibrio de poder bipolar se transforma en una hegemonía unipolar que es estrenada en escala bélica en la primera guerra del Golfo, aunque revestida de un barniz de «multilateralismo» .

Una vez más, el proceso revolucionario en Cuba asume los desafíos que le presentan las nuevas circunstancias y frente a las generalizadas restricciones proclaman el "período especial en tiempos de paz". Por un lado, aunque se había firmado en La Habana un tratado de amistad por veinticinco años con Mijail Gorvachov, no se aplicaron en la isla las reformas políticas y económicas propias de la Perestroika. Con escaso petróleo para poner en funcionamiento el aparato productivo, el panorama se hace más sombrío cuando la crisis del Golfo eleva los precios del producto. Pero también la mayor cuota de poder que ahora poseen los Estados Unidos se convierte en una amenaza para la seguridad de la isla.

No es exagerado el diagnóstico que señala a estos años como los más difíciles por los que tiene que atravesar Cuba. De ahí la consigna: «Salvar la Patria, salvar la Revolución, salvar el Socialismo». Decididos a mantener una política firme y ejemplificadora contra la corrupción, cuatro oficiales del ejército son ejecutados acusados de contrabando y tráfico de drogas, y otros diez condenados a prisión. Se trataba del peor escándalo de cohecho desde que Castro había llegado al poder.

El racionamiento se impone en la casi totalidad de los productos de consumo y se decide abrir la economía a la inversión del capital extranjero y al desarrollo de empresas mixtas, a la vez que se prohíbe el desarrollo de actividades privadas en la agricultura, los servicios, el pequeño comercio o el artesanado. Es inevitable que en este contexto aparezca un mercado negro. El desarrollo económico del país comienza a replantearse en función de las nuevas coordenadas internacionales.

La vida cotidiana de los cubanos se ve alterada por la escasez de detergente, jabón, champú. El ahorro de energía se hace forzoso; los equipos de aire acondicionado son sustituidos por ventiladores chinos y sólo los jóvenes matrimonios pueden acceder a las planchas. La escasez de papel es prácticamente total y se suspende la impresión de libros en un país donde el analfabetismo fue desterrado y la lectura es un bien social reconocido. Hasta los medicamentos entran en el racionamiento.

El Cuarto Congreso del Partido Comunista, que se realiza en 1991, procura hacerse cargo de los debates que provoca toda esta situación y reorientar los destinos de la isla por una senda posible. Se ratifica el sistema de partido único y se conceden poderes excepcionales al Comité Central para que pueda adoptar medidas extraordinarias en la difícil coyuntura.

En noviembre de 1992, la Asamblea General de la ONU aprueba una resolución pidiendo el cese del embargo estadounidense (todas las tropas soviéticas habían abandonado la isla). Agravada la situación social, durante 1993 y 1994 se produjo la denominada «crisis de los balseros»: miles de cubanos cruzaron el estrecho de Florida después de que fueran levantadas las restricciones.

En 1996 el Congreso de Estados Unidos aprobó la Ley Helms-Burton, que profundizó el bloqueo económico ya existente, al proponer sanciones penales a aquellas empresas norteamericanas o de terceros países que mantuvieran relaciones comerciales con la isla. La Unión Europea, en clara oposición, presentó una serie de medidas para neutralizar los alcances de esa norma. No está de más recordar que, mientras se castiga comercialmente a Cuba por su carácter comunista, el mundo capitalista occidental desarrolla millonarios negocios con el país más poblado del mundo, gobernado por el Partido Comunista más grande del mundo.

Otro de los problemas que debió afrontar Cuba fue su relación con la Iglesia católica. A principios de la revolución hubo sectores de ésta que apoyaron a Fidel Castro y que además estuvieron presentes en la Sierra Maestra. El fuerte sesgo dado a la conducción ideológica en los 70, siguiendo el modelo del marxismo leninismo soviético, hizo del ateísmo científico y militante una piedra angular. En 1998 el Papa polaco Juan Pablo II realiza un histórica visita a la isla, se pronuncia en contra del embargo comercial norteamericano, al cual Fidel Castro en términos más duros define como «genocidio con el que se intenta rendir por hambre al pueblo cubano». Se realizaron varias misas a lo largo del territorio con una asistencia multitudinaria. El Papa solicitó también la liberación de los presos políticos, petición parcialmente atendida semanas más tarde.

Luces y sombras se presentan sobre la Revolución. Desde el punto de vista educativo, los logros han sido universalmente reconocidos. El analfabetismo ha desaparecido y hoy se está planteando la universalización de la Universidad. La coyuntura más desfavorable en términos económicos ha sido superada. Y la respuesta al interrogante sobre el futuro, tal vez haya que buscarla en el pasado. En 1965 el periodista Adolfo Gilly visitó la isla y advertía que era un error dividir a la dirección cubana entre fidelistas y comunistas, entre los viejos comunistas del Partido Socialista Popular y los neo-comunistas del viejo equipo de la Sierra. También era un error ver una unidad monolítica en torno de la dirección y creer que en Cuba todo lo decide Fidel Castro según las ideas que pergeña su cerebro. Unos y otros no advierten o advierten —decía— en lo que ocurre abajo, «en el proceso vivo, real, hirviente, bullente del pueblo cubano en sus opiniones y presiones, en sus movimientos y acciones, en sus decisiones colectivas... Ahora bien, exactamente esto último es lo que sucede, con una transparencia celeste en Cuba». Tan vigentes como entonces resultan las observaciones de Gilly para pensar alguna de las claves de la posibilidad o no de la supervivencia de la Revolución Cubana como tal.

En 1976 se aprueba una nueva Constitución, que será reformada en 1992. El Preámbulo, de un claro posicionamiento ideológico-político, se mantuvo sin modificaciones.

«NOSOTROS, CIUDADANOS CUBANOS, herederos y continuadores del trabajo creador y de las tradiciones de combatividad, firmeza, heroísmo y sacrificio forjadas por nuestros antecesores;

— por los aborígenes que prefirieron el exterminio a la sumisión;
— por los esclavos que se rebelaron contra sus amos;
— por los que despertaron la conciencia nacional y el ansia cubana de patria y libertad;
— por los patriotas que en 1868 iniciaron las guerras de independencia contra el colonialismo español y los que en el último impulso de 1895

las llevaron a la victoria de 1898, victoria arrebatada por la intervención y ocupación militar de imperialismo yanqui;

— por los obreros, campesinos, estudiantes e intelectuales que lucharon durante más de cincuenta años contra el dominio imperialista, la corrupción política, la falta de derechos y libertades populares, el desempleo y la explotación impuesta por capitalistas y terratenientes;
— por los que promovieron, integraron y desarrollaron las primeras organizaciones de obreros y de campesinos, difundieron las ideas socialistas y fundaron los primeros movimientos marxista y marxista-leninista;
— por los integrantes de la vanguardia de la generación del centenario del natalicio de Martí que nutridos por su magisterio nos condujeron a la victoria revolucionaria de enero; por los que, con sacrificio de sus vidas, defendieron la Revolución contribuyendo a su definitiva consolidación;

GUIADOS APOYADOS en el internacionalismo proletario, en la amistad fraternal y la cooperación de la Unión Soviética y otros países socialistas y en la solidaridad de los trabajadores y pueblos de América Latina y el mundo;

DECIDIDOS a llevar adelante la Revolución triunfadora del Moncada y del *Granma*, de la Sierra y de Girón encabezada por Fidel Castro que, sustentada en la más estrecha unidad de todas las fuerzas revolucionarias y del pueblo, conquistó la plena independencia nacional, estableció el poder revolucionario, realizó las transformaciones democráticas, inició la construcción del socialismo y, con el Partido Comunista al frente, la continúa con el objetivo de edificar la sociedad comunista;

CONSCIENTES de que todos los regímenes de explotación del hombre por el hombre determinan la humillación de los explotados y la degradación de la condición humana de los explotadores; de que sólo en el socialismo y el comunismo, cuando el hombre ha sido liberado de todas las formas de explotación: de la esclavitud, de la servidumbre y del capitalismo, se alcanza la entera dignidad del ser humano; y de que nuestra Revolución elevó la dignidad de la patria y del cubano a superior altura;

DECLARAMOS nuestra voluntad de que la ley de leyes de la República esté presidida por este profundo anhelo, al fin logrado, de José Martí:

"Yo quiero que la ley primera de nuestra república sea el culto de los cubanos a la dignidad plena del hombre",

ADOPTAMOS por nuestro voto libre, mediante referendo, la siguiente CONSTITUCIÓN.»

# EPÍLOGO

Antonio Gramsci ha señalado que en el «lenguaje histórico político italiano» puede observarse la existencia de un conjunto de expresiones que resultan difíciles, cuando no imposibles, de traducir a otras lenguas. Esto no es una propiedad, podríamos agregar, exclusiva de la lengua de Dante, sino que podríamos hacer extensivo al resto de las lenguas en la medida que lo fundamental de la radical imposibilidad de la «traducción» es la estrecha vinculación de tales términos con la historia y cultura de la nación.

Risorgimento, ricossa nazionale y riscotto nazionale son difíciles de traducir, no porque no contemos con palabras «equivalentes» en lengua española; de hecho la traducción literal bien podría ser «recuperación nacional», sino porque expresamente se encuentran unidas a una tradición literario-nacional que rescata la idea de continuidad esencial de la historia desde Roma hasta la unidad del Estado moderno italiano, «por lo cual —aclara Gramsci— se concibe a la nación italiana como "nacida" o "surgida" con Roma, se piensa que la cultura greco-romana ha "renacido", que la nación ha "resurgido", etc.». Este y otros ejemplos le permiten registrar la variabilidad histórica que asumen el sentido de las palabras y concluir que «la investigación de la historia de estos términos tiene un significado cultural imposible de ignorar».

Gramsci no es el primero en señalar que el significado de las palabras se haya condicionado a su contexto de enunciación y recepción, y derivar de ahí la importancia semántica histórica. Sin embargo, el consecuente y seminal uso que hace de la misma en su análisis merece que su opinión sea considerada aquí como una fuente autorizada al respecto. Partiendo de una trivialidad como constatar el uso de las mismas palabras para designar cosas diferentes, Gramsci introduce un planteamiento metodológico para nada superficial. En primer lugar la relación entre signo y significante no es unívoca e inequívoca, no es la transposición «natural» de «una cosa» en «un vocablo»; existe una relación arbitraria entre las palabras y sus significados, pero esto se liga con su aportación más interesante: existe en la sociedad una lucha por el sentido; esta lucha por el sentido incluye la disputa por fijar determinados significados a las palabras, por construir un lenguaje, dado que, como expresaba Schopenhauer, cada lenguaje es una forma de ver el mundo. Esto implica cuestionar al lenguaje como una representación neutral de la realidad.

Cuando el 1 de enero de 1959 el Ejército Rebelde hace su entrada en la ciudad de La Habana, la mítica revista *Bohemia* tenía en proceso de impresión su número. Al decretarse la huelga general, y cumpliendo con la consigna revolucionaria, los ejemplares finalmente no circularon.

En un esfuerzo especial se rediseña el número para poder dar cuenta de los últimos acontecimientos. Un millón de revistas se lanzan a la calle con la foto del rostro de Fidel Castro en la portada y un epígrafe en el que puede leerse: «Honor y gloria al héroe nacional». La revista adopta también como subtítulo: Edición de la libertad. Los auspiciantes no quieren quedar al margen del nuevo clima que se está viviendo y la Coca-Cola saca a toda página una publicidad en la que aclara que «se regocija con el pueblo de Cuba por el resurgimiento de las libertades democráticas en nuestra patria».

Se trata de un esfuerzo que procura en el orden semiótico atrapar ese desborde de significado que como experiencia histórica conllevaba la Revolución. Hasta la sección de humor con la apelación a los barbudos se impregnaba con el signo de los nuevos tiempos. El 1 de enero señalaba una ruptura con el pasado y, aunque el aparato publicitario se conservaba más temprano que tarde, estas contradicciones habrían de aflorar. La publicidad apela a un espectro amplio y fundamentalmente con pautas de consumo de los sectores medios. Lugar destacado lo ocupan la leche de magnesia Phillips. Si «se siente abatido por padecer almorranas... use ungüento Pazo». «La juventud triunfadora se peina siempre con Glostora», y para conquistar corazones se recomienda entonces este producto. Para la tos están las pastillas del doctor Andréu. Una publicidad invita a armar su propio televisor de 21 pulgadas con las partes que recibirá vía postal. Lichensa, producto alemán que ha revolucionado la medicina mundial, interpela a los lectores. «Los granitos de la cara no se los toque...», etc., etc.

El 11 de enero de 1959 *Bohemia* escribe que su primera palabra sólo puede ser para los mártires. Es necesario abandonar por un momento el júbilo y el frenesí y reflexionar sobre la deuda que se tiene con los muertos. Y si bien se podía establecer un paralelo con los treinta años de lucha por la independencia en el siglo XIX, las calamidades y atrocidades cometidas por el régimen de Batista tornan a este último periodo en el más cruel y censurable de la historia de Cuba, tal vez sólo comparable con el régimen nazi de Hitler. La policía del tirano actuó como una GESTAPO y sus tropas de ocupación se ensañaron sin reparar ni en la edad ni en el sexo de sus víctimas. El editorialista escribe: «los actos de genocidios y los campos de concentración eran realidades cotidianas en la horrenda estrategia del militarismo batistiano». Después de siete años de crimen y oprobio la consigna que *Bohemia* deja en pie es: «los muertos mandan».

Lo que se pone en juego no es una simple diferencia terminológica que podría ser saldada mediante una pulida técnica de la definición. La disputa se sitúa en un nivel más profundo, pues para Gramsci las visiones del mundo en conflicto que se manifiestan en la esfera simbólica remitan a la existencia de una sociedad escindida en clases antagónicas. En el recorrido realizado en cada capítulo, hemos intentado estar atentos a las implicaciones de ese trabajo «filológico». *Bohemia* no es una excepción, y ella también pone en circulación un conjunto de operaciones que procuró construir la realidad de la Revolución. La tematización que se hizo de ella posee un carácter marcadamente selectivo. Pero toda selección responde siempre a un criterio de elección (consciente o no). Se puede decir entonces que la imagen que se construyó y difundió, a través de la actividad de intelectuales/políticos destacados y de periódicos y revistas vinculados a las más variadas corrientes, no es el resultado de una percepción espontánea, ni el mecánico reflejo, sino que es el resultado de una mirada «sesgada», y es este «sesgo» el que necesita ser mirado para comprender.

Como puede apreciarse, estamos hablando de bastante más que de disputas por las esferas de influencia institucionales, sino que nos estamos internando en el terreno de las configuraciones ideológicas, que lo hacen a partir de una toma de posición más general.

Si definimos a la hegemonía como la capacidad que tiene una fuerza social o un bloque de fuerzas, en un momento determinado, para formular y diseminar una concepción del mundo que deviene en lo que Gramsci dice: «*una norma de conducta*» aceptada por toda la sociedad, el cuadro de representaciones se encuentra envuelto en un torbellino.

Aparece la foto de Eduardo Chibás, figura del partido ortodoxo, inmolado por una patria mejor. Para *Bohemia* «antes de Fidel Castro y sus bravos libertadores, ninguna gesta fue semejante a la de Chibás» y quienes están rigiendo hoy a Cuba «son, en lo hondo y fundamental de su espíritu y su acción, discípulos de Chibás».

Hasta es necesario presentar un segundo editorial que lleva por título «Contra el comunismo». Se denuncia que la desaparecida dictadura trató de sindicar al movimiento revolucionario como una expresión de los rojos, siendo su líder principal Fidel Castro. Para *Bohemia* se trata de un equívoco que los mismos comunistas alimentaron, pero la revista advierte: «minoría de minorías en Cuba, sin basamento real en la nacionalidad, tratan tercamente, con su tenacidad proselitista conocida, de infiltrarse en todos los movimientos revolucionarios y aprovechar los momentos históricos de transformación política, como el que se realiza en Cuba. Pero la conciencia y la acción de nuestro pueblo han madurado lo bastante para que no logre nadie desviarlo, en el instante de reconquistar su democracia, hacia ideologías que niegan la libertad».

En apoyo de esta tesis se apela a las propias declaraciones del doctor Fidel Castro, quien anunció que el nuevo gobierno no mantendrá relaciones con estados dictatoriales, incluido, claro está, en primer término la Unión Soviética. *Bohemia* saluda como positivo este pronunciamiento y concluye: «el comunismo no tendrá aquí justificaciones ni complicidades del poder. La revolución que avanza incontenible es cubana y democrática en intención y entraña».

Pero la revolución va asociada a la crisis, crisis ideológica del orden que se derrumba, crisis social por el lugar al cual pujan los sectores en ascenso. La batalla entre concepciones del mundo que compiten por imponerse como «*históricamente verdaderas*» está en marcha. La verdad no es dada por la razón autónoma, sino que se genera como un producto socialmente construido y axiológicamente «relativo», que refleja el equilibrio o balance de poder en una coyuntura dada.

Miguel Ángel Quevedo, propietario y director de la revista, pone fin a su vida en 1969. El tono de la carta en el que hace un «mea culpa» se nutre de aires elitistas y antipopulares; concretamente dice: «el pueblo también fue culpable. El pueblo que quería a Guiteras. El pueblo que quería a Chibás. El pueblo que compraba *Bohemia*, porque era vocero de ese pueblo. El pueblo que acompañó a Fidel desde Oriente hasta el campamento de Columbia». Considera que todos contribuyeron a crearlo. También fue culpable el Departamento de Estado, el gobierno y su oposición. Todos.

La revolución saludada y condenada. Proscrita y legalizada. Afirmada y traicionada. Abandonada y recuperada. Interpela como una pesadilla el cerebro de los vivos cuando éstos se disponen precisamente a revolucionarse y a revolucionar las cosas, a crear algo nunca visto, como nos recuerda Marx.

# CRONOLOGÍA

| | |
|---|---|
| 1791 | Se inicia la rebelión de los esclavos en Haití. |
| 1804 | Independencia de Haití. |
| 1810 | Elección de los primeros diputados de Cuba a las Cortes Españolas. |
| 1837 | Los diputados cubanos elegidos para participar en las Cortes no son admitidos. |
| | Se inaugura el ferrocarril La Habana-Bejucal. |
| 1847 | Primera «importación» de asiáticos a Cuba. |
| 1848 | Estados Unidos ofrece a España comprar la isla de Cuba. |
| 1853 (28 enero) | Nace José Julián Martí en La Habana. |
| 1868 | Grito de la Yara. |
| | Toma de Bayamo. |
| | Los hermanos Maceo y Moncada se incorporan a la lucha. |
| 1869 | I Congreso constituyente en Camagüey. |
| 1871 | Martí es desterrado a España y publica *El presidio político en Cuba.* |
| | Son fusilados ocho estudiantes en La Habana por respaldar la causa independentista. |
| 1876 | Tomás Estrada Palma es designado presidente de la «República en Armas». |
| 1878 | Paz de Zanjón. |
| 1879 | Comienza la llamada Guerra Chiquita. |
| 1880 | Las Cortes de España aprueban la ley de abolición de la esclavitud. |
| 1892 | Son aprobadas las *Bases del Partido de la Revolución Cubana* y sus *Estatutos secretos.* |
| 1895 | Grito de Baire. Se inicia la guerra de independencia. |
| | Maceo, Martí y Gómez desembarcan en Oriente. |
| (19 de mayo) | Muere Martí en el combate de Dos Ríos. |
| 1898 | Gobierno autonómico hispano-cubano, repudiado por la revolución. |
| | Voladura del *Maine.* Intervención de Estados Unidos en la guerra de Cuba contra España. |
| | Tratado de Paz de París firmado entre Estados Unidos y España. |
| | Disolución del PRC por Tomás Estrada Palma. |
| 1899 (enero) | General John Brooke, gobernador militar norteamericano de Cuba. |
| (diciembre) | General Leonard Word, gobernador militar norteamericano de Cuba. |
| 1902 | Enmienda Platt. Primer presidente cubano, general Tomás Estrada Palma. |
| 1906 | William Howard Taft, gobernador provisional (Estados Unidos). |
| 1909 | Presidente, general José Miguel Gómez. |
| 1913 | Presidente, general Mario García Menocal. |
| 1921 | Presidente, Alfredo Zayas. |

| | |
|---|---|
| 1925 | Presidente, general Gerardo Machado. |
| 1933 (4 de agosto) | Se declara la huelga general contra el gobierno de Machado. |
| (8 de agosto) | El embajador Samuel Welles pide a Machado su alejamiento. |
| (11 de agosto) | El ejército emplaza a Machado a dejar el poder. |
| (12 de agosto) | Cae Machado. Presidente, Carlos Manuel de Céspedes. |
| 1933 (4 de septiembre) | Revolución de los sargentos encabezada por Fulgencio Batista. |
| (5 de septiembre) | Asume la presidencia la Pentarquía (Dr. Ramón Grau San Martín, Porfirio Franco, José Miguel Irisarri, Sergio Carbó, Guillermo Portela). |
| (7 de septiembre) | Treinta acorazados, cruceros y destructores norteamericanos se emplazan frente a La Habana. |
| (9 de septiembre) | Presidente, el doctor Ramón Grau San Martín. |
| (8 de noviembre) | El sargento Batista, ahora jefe del ejército, sofoca una sublevación cívico-militar de los opositores a Grau. En La Habana hay 56 muertos. |
| 1934 (14 de enero) | Renuncia Grau San Martín. Es designado presidente Carlos Hevia. |
| (17 de enero) | Renuncia de Hevia. Presidente, el coronel Carlos Mendieta. |
| (29 de mayo) | Derogación de la Enmienda Platt. |
| (25 de agosto) | El presidente Roosevelt anuncia la nueva política exterior hacia Latinoamérica, denominada «Buena Vecindad». |
| 1936 (20 de mayo) | Presidente, Miguel Mariano Gómez. |
| (12 de diciembre) | Presidente, José Antonio Barnet. |
| (24 de diciembre) | Presidente, Federico Laredo Bru. |
| 1940 | Es elegido presidente constitucionalmente Fulgencio Batista. |
| 1944 | Es elegido presidente el doctor Ramón Grau San Martín. |
| 1948 (30 de marzo) | Se reúne en Bogotá la IX Conferencia Panamericana que da nacimiento a la Organización de Estados Americanos (OEA). |
| (9 de abril) | En Colombia es asesinado Jorge Eliecer Gaitán; la violenta reacción popular se conoce con el nombre de «bogotazo». |
| (31 de mayo) | Es electo presidente el doctor Carlos Prío Socarrás. |
| 1952 (10 de marzo) | Mediante un golpe militar, Fulgencio Batista se proclama presidente. Fidel Castro presenta una denuncia contra Fulgencio Batista, ante el Alto Tribunal de Cuba, por violación de la Constitución. |
| 1953 (26 de Julio) | Fracasa el asalto al cuartel de Moncada en Santiago de Cuba, así como el del cuartel «Carlos Manuel de Céspedes», en Bayamo. |
| 1955 (abril) | Amnistía para presos políticos decretada por el Congreso. Fidel Castro viaja a México y se funda el Movimiento Revolucionario 26 de Julio. |
| 1956 (24 de febrero) | Se crea el Directorio Revolucionario. |
| (2 de diciembre) | Desembarco del *Granma* en Oriente. |
| 1957 (13 de marzo) | Fracasa el asalto al palacio presidencial de La Habana por el Directorio Revolucionario. |
| (1 de agosto) | Estalla en Santiago de Cuba una huelga general por la represión. |

| | |
|---|---|
| 1958 (1 de marzo) | Fidel Castro anuncia la guerra total en el país. |
| (9 de abril) | Fracasa la huelga general revolucionaria. |
| (20 de julio) | Se firma el Pacto de Caracas. |
| (3 de noviembre) | La población boicotea la elección presidencial convocada por Batista. |
| 1959 (1 de enero) | Fulgencio Batista huye de Cuba. |
| (4 de enero) | Manuel Urrutia es nombrado presidente, y José Miró Cardona, primer ministro. |
| (7 de enero) | Los Estados Unidos reconocen al nuevo gobierno. |
| (21 de enero) | Medio millón de personas en La Habana piden el fusilamiento de los criminales de guerra. |
| (14 de febrero) | Fidel Castro es nombrado primer ministro en sustitución de Cardona. |
| (3 de marzo) | El gobierno «interviene» la Compañía Teléfonos de Cuba. |
| (6 de marzo) | Se reducen un 50 por ciento los alquileres. |
| (15 de abril) | Fidel Castro realiza una visita de buena voluntad «no oficial» a Estados Unidos. |
| (17 de mayo) | Primera Ley de Reforma Agraria. |
| (12 de junio) | El Che Guevara inicia su gira por África, Asia y Europa. |
| (30 de junio) | El jefe de la Fuerza Aérea, Pedro Luis Díaz Lanz, deserta. |
| (17 de julio) | Fidel Castro renuncia como primer ministro. Huelga general en su apoyo. El presidente Urrutia es sustituido por Osvaldo Dorticós Torrado. |
| (18 de julio) | Fidel Castro retira su renuncia. |
| (28 de octubre) | Camilo Cienfuegos desaparece en un accidente aéreo. Su cuerpo no es encontrado. |
| (26 de noviembre) | Ernesto Che Guevara es nombrado presidente del Banco de Cuba. |
| (15 de diciembre) | El ex comandante Hubert Matos es condenado a veinte años de prisión. |
| 1960 (23 de enero) | El Papa recibe al canciller Roa. |
| (6 de febrero) | Se firma con la URSS un tratado comercial. |
| (7 de mayo) | Cuba y la URSS restablecen relaciones diplomáticas. La United Fruit Company es expropiada. |
| (5 de julio) | Nacionalización de las empresa extranjeras. |
| (2 de septiembre) | Declaración de La Habana. |
| (28 de septiembre) | Se crean los Comités de Defensa de la Revolución (CDR). |
| (13 de octubre) | Nacionalización de bancos y empresas cubanas. |
| (14 de octubre) | Ley de Reforma Urbana. |
| (20 de octubre) | Estados Unidos decreta un embargo a las exportaciones cubanas. |
| (20 de diciembre) | El Che Guevara anuncia desde la URSS que serán envíadas cien fábricas completas. |
| 1961 (3 de enero) | Estados Unidos rompe relaciones diplomáticas con Cuba. |
| (27 de enero) | Se inicia la campaña para abolir el analfabetismo. |
| (24 de febrero) | El Che Guevara es nombrado ministro de Industria. |
| (1 de abril) | Fidel Castro proclama el carácter socialista de la Revolución. |
| (17 al 19 de abril) | Derrota de la contrarrevolución en la bahía de Cochinos. |
| 1961 (1 de mayo) | Cuba estrecha sus lazos con la URSS. |

| | |
|---|---|
| (julio) | El Movimiento 26 de julio se fusiona con el Partido Socialista Popular y el Directorio 13 de Marzo: nacen las organizaciones. |
| 1963 | Primera visita oficial de Castro a la URSS. |
| (8 de julio) | Estados Unidos prohíbe el comercio con Cuba. |
| (24 de julio) | Fidel Castro ordena la confiscación de la embajada de Estados Unidos. |
| (4 de octubre) | Se inicia la Segunda Reforma Agraria. |
| (9 de octubre) | El huracán Flora arrasa Cuba. |
| 1965 (3 de octubre) | Fidel Castro lee en público la carta en la que el «Che» le comunica la renuncia a todos sus cargos en el partido, en el Gobierno y como comandante. Parte para el Congo. |
| 1967 (8 de octubre) | Matan en Bolivia a Ernesto Che Guevara. Ese mismo día el PURSC adopta el nombre de Partido Comunista de Cuba (PCC). |
| 1969/1970 | No se alcanza el objetivo de la «zafra de los 10 millones» de toneladas. |
| 1972 (12 de julio) | Cuba es admitida en el CAME (Mercado Común del área socialista). |
| 1975 (5 de noviembre) | Cuba envía a Angola a su primer contingente militar para apoyar al Gobierno comunista frente a los ataques de la guerrilla UNITA. |
| (diciembre) | I Congreso del Partido Comunista Cubano. |
| 1976 (5 de febrero) | Mediante un referéndum, se aprueba la nueva Constitución. |
| (3 de diciembre) | Fidel Castro es elegido por unanimidad jefe del Estado por la nueva Asamblea Nacional. |
| 1977 | Cuba envía las primeras tropas a Etiopía. |
| 1978 | Primer acercamiento del exilio y el Gobierno. Se liberan 3.600 presos políticos y se regula el régimen de visitas a la isla de los cubanos del exterior. |
| 1980 (abril) | 10.000 cubanos se refugian en la embajada de Perú en La Habana y piden asilo político. Estados Unidos organiza el traslado de 130.000 refugiados. |
| (diciembre) | II Congreso del Partido Comunista Cubano. |
| 1986 (febrero) | III Congreso del Partido Comunista de Cuba. |
| (abril) | Se inicia un proceso de rectificación de errores y tendencias negativas que frenan y deforman principios vitales de la Revolución. |
| 1988 (22 de diciembre) | La firma de los acuerdos de paz para el África suroccidental marca el inicio de la salida de tropas cubanas de Angola. |
| 1989 (2 al 5 de abril) | El presidente soviético, Mijaíl Gorbachov, visita Cuba. Firma con Castro un Tratado de Amistad y Cooperación para 25 años. |
| (13 de julio) | Es fusilado el general Arnaldo Ochoa y otros tres oficiales, condenados por narcotráfico y «alta traición». |
| (16 de diciembre) | Se firma un acuerdo de cooperación con China. |
| 1990 (25 de junio) | Gorbachov decreta que, a partir del 1 de enero de 1991, las relaciones comerciales con Cuba se realizarán de acuerdo con los precios del mercado internacional. |

| | |
|---|---|
| (29 de agosto) | Se decreta la implantación del «Período Especial en tiempos de paz». |
| 1991 (octubre) | IV Congreso del PCC. |
| 1992 (septiembre) | Cuba y Rusia acuerdan la salida de la isla de los últimos 1.500 soldados rusos. Los últimos 300 soldados de la Brigada rusa de Infantería dejan La Habana el 3 de julio de 1993. |
| (24 de septiembre) | El Congreso norteamericano aprueba la Ley Torricelli, endureciendo las medidas económicas contra Cuba. |
| 1993 | El país vive el peor año del «Período Especial» y se empieza a dar prioridad al turismo como principal fuente de ingreso de divisas. |
| 1994 (julio-agosto) | «Crisis de los balseros». |
| 1996 (marzo) | Se promulga la Ley de Solidaridad Democrática y Libertad para Cuba (Ley Helms Burton), que refuerza las sanciones internacionales contra Cuba. |
| 1997 (12 de julio) | Llegan a Cuba, procedentes de Bolivia, los féretros del «Che» y tres de sus compañeros, caídos en combate en Bolivia en 1967. |

# BIBLIOGRAFÍA

El material disponible es sumamente vasto; aquí nos limitamos a presentar una pequeña porción de títulos que permiten retomar algunas de las varias problemáticas que se condensan bajo el epígrafe de Revolución Cubana, ya sea desde el punto de vista testimonial como de investigaciones analíticas.


AA.VV. *La economía socialista. Debate.* Nova Terra, Barcelona, 1968.

AA.VV. *United Fruit Company: un caso del dominio imperialista en Cuba.* Editorial de Ciencias Sociales, La Habana, 1976.

AGUILAR, LUIS E. «Cuba, c.1860-1934» en Bethell, Leslie (ed.). *Historia de América Latina. 9. México, América Central y el Caribe, c. 1870-1930).* Crítica, Buenos Aires, 1986.

ALBA, VICTOR. *Historia del movimiento obrero en América Latina.* México, 1964.

ALMEIDA BOSUE, JUAN. *Crónicas de la Revolución Cubana.* Memphis, Buenos Aires, 1997.

ALMEYRA, GUILLERMO. *El pensamiento rebelde.* Continente, Buenos Aires, 2004.

ARANDA, SERGIO. *La revolución agraria en Cuba.* Siglo XXI, México, 1969.

BÁEZ, LUIS. *Secretos de generales.* Losada, Barcelona, 1997.

BAMBIRRA, VANIA. *La revolución cubana, una reinterpretación.* Nuestro Tiempo, México, 1974.

BARAN, PAUL. *Reflexiones sobre la Revolución Cubana.* Merayo editor, Buenos Aires, 1973.

BATISTA, FULGENCIO. *Respuesta.* México, 1960.

BERGQUIST, CHARLES. *Los trabajadores en la historia latinoamericana.* Siglo XXI, Colombia, 1988.

BORREGO, ORLANDO. *El camino del fuego.* Hombre Nuevo, Buenos Aires, 2001.

CEPERO BONILLA, RAÚL. *Azúcar y abolición.* Grijalbo, Barcelona, 1977.

CONTARDI, SONIA. *José Martí. La lengua del destierro.* UNR Editora, Rosario, 1995.

DELGADO, OSCAR. *Reformas agrarias en América Latina.* F.C.E. México, 1978.

DE SANTIS, SERGIO. «Debate sobre la gestión socialista en Cuba», en Guevara, Ernesto y otros. *La economía socialista. Debate.* Nova Terra, Barcelona, 1968.

DRAPER, THEODORE. *Castrismo: teoría y práctica.* Marymar. Buenos Aires, 1965.

DUBOIS, JULES. *Fidel Castro.* Grijalbo. Buenos Aires, 1959.

DUMONT, RENÉ. *Cuba: ¿Es socialista?*, Editorial Tiempo Nuevo. Caracas,1970.

FEDER, ERNESTO. *Violencia y despojo del campesinado: latifundismo y explotación.* Siglo XXI. México, 1972.

FREEMAN, SMITH, ROBERT. *Estados Unidos y Cuba. Negocios y diplomacia, 1917-1960.* Palestra. Buenos Aires, 1960.

FUNG RIVERÓN, THALÍA. *La Revolución Socialista en Cuba. Condiciones objetivas y factores subjetivos.* Ediciones Dialéctica, Buenos Aires, 1987.

GARCÉS, MARÍA. *La guerrilla del Che en la prensa cubana.* Casa de las Américas/UNR Editora, Rosario, 1997.

GILLY, ADOLFO. «Cuba: entre la coexistencia y la revolución». En *Monthly Review*, n.º 15, Buenos Aires., noviembre de 1964.

González Casanova, Pablo. (ed.). *Historia del movimiento obrero en América Latina*. Siglo XXI, México, 1984.

Guevara, Ernesto. *Obras Completas*. S/d. Buenos Aires, 1987, 5 tomos.

Habel, Janette. «Cuba: rupturas en la «fortaleza sitiada», en *Cuadernos del Sur*, n.º 13. Buenos Aires, diciembre de 1991.

Huizer, G. *El potencial revolucionario del campesinado latinoamericano*. Siglo XXI, México, 1974.

Jenks, Leland. *Nuestra colonia de Cuba*. Palestra, Buenos Aires, 1960.

Knigth, Alan. *Revolución social: una perspectiva latinoamericana* en revista *Secuencia*. Instituto Mora. México, 1993.

Le Riverend, Jules. *Historia Económica de Cuba*. La Habana, 1981.

Löwy, Michael. *El marxismo en América Latina (De 1909 a nuestros días)*. Era, México, 1982.

Mella, Julio. *Escritos revolucionarios*. Siglo XXI, México, 1978.

Mesa Lago, Carlos. *Breve historia económica de la Cuba socialista. Política, resultados y perspectivas*. Alianza Editorial, Madrid, 1994.

Mires, Fernando. *La rebelión permanente*. Siglo XXI, México, 1988.

Morray, Joseph P. *La segunda revolución en Cuba*. Iguazú, Buenos Aires, 1962.

Negre Rigol, Pedro. et al.: *Reformas Agrarias en América Latina (México, Bolivia, Cuba, Chile, Perú)*. Editorial Tierra Nueva, Buenos Aires, 1976.

Ortiz, Fernando. *Contrapunteo cubano del tabaco y el azúcar*. Ariel, Barcelona, 1973.

Petras, James. *América Latina: pobreza de la democracia y democracia de la pobreza*. Homo Sapiens, Rosario, 1995.

Pierre-Charles, Gérard. *Génesis de la Revolución Cubana*. Siglo XXI, México, 1976.

Pino Santos, Oscar. *El asalto a Cuba por la oligarquía financiera yanqui*. La Habana, 1980.

Pla, Alberto. *América Latina siglo XX. Economía, Sociedad, Revolución*. Universidad Central de Venezuela, Caracas, 1980.

Rama, Carlos. *Historia del movimiento obrero y social latinoamericano*. Laia, Barcelona, 1976.

Rodríguez, Carlos Rafael. «La segunda reforma agraria, causas y derivaciones», en Delgado, Oscar (comp.): *Reformas Agrarias en América Latina*. México, FCE, 1965.

Selser, Gregorio (comp.). *A veinte años de Moncada*, Cuadernos de Marcha n.º 72. Montevideo, 1973.

Tablada Pérez, Carlos. *El pensamiento económico de Ernesto Che Guevara*. Casa de las Américas, La Habana, 1987.

Thomas, Hugh. *Historia contemporánea de Cuba*. Grijalbo, Buenos Aires, 1982.

Tokatlian, Juan, G. (comp.). *Cuba y Estados Unidos*. GEL, Buenos Aires, 1984.

Winocur, Marcos. *Las clases olvidadas en la Revolución Cubana*. Contrapunto, Buenos Aires, 1987.

Winocur, Marcos. «¿Dónde estaba la clase obrera cubana cuando la revolución? (1952-1959)», en *Secuencia. Revista Americana de Ciencias Sociales*, n.°13, México D.F., enero-abril 1989, pp. 117-133.

Wright Mills, Charles. *Escucha, Yanqui. La revolución en Cuba*. FCE, México, 1961.

Zeitlin, Maurice. *La política revolucionaria y la clase obrera cubana*. Amorrortu, Buenos Aires, 1970.

## TÍTULOS PUBLICADOS

**LA REVOLUCIÓN RUSA**
Jorge Saborido
*Universidad de Buenos Aires (Argentina)*

**LA SEGUNDA GUERRA MUNDIAL**
Cristian Buchrucker
*Universidad Nacional de Cuyo (Mendoza, Argentina)*

**HISTORIA DE AMÉRICA LATINA**
Waldo Ansaldi y Verónica Giordano
*Universidad de Buenos Aires (Argentina)*

**EL FENÓMENO TERRORISTA**
Eduardo Gónzalez Calleja
*Consejo Superior de Investigaciones Científicas (Madrid, España)*

**EL FUNDAMENTALISMO ISLÁMICO**
Marcelo Borrelli y Mercedes Saborido
*Universidad de Buenos Aires (Argentina)*

**LA GUERRA CIVIL ESPAÑOLA**
Jorge Saborido y Mercedes Saborido
*Universidad de Buenos Aires (Argentina)*
Prólogo de Julio Aróstegui

**LAS MIGRACIONES INTERNACIONALES**
Asunción Merino Hernando y Elda González Martínez
*Consejo Superior de Investigaciones Científicas (Madrid, España)*

**LA PRIMERA GUERRA MUNDIAL**
Susana L. Dawbarn de Acosta
*Universidad Nacional de Cuyo (Mendoza, Argentina)*

**LA REVOLUCIÓN CUBANA**
Gustavo C. Guevara
*Universidad de Buenos Aires (Argentina)*

**LA REVOLUCIÓN MEXICANA**
Mario Ojeda Revah
*Universidad Nacional Autónoma de México*